KB012164

"……후후."
에리리는 옅은 미소를 지으면서 연필을 놀리는 속도를 바꾸더니,
조금씩 터치에 변화를 줬다.
방금 떠올린, 그리고 실은 떠올리고 싶지 않았던 기억 속의 경치를,
지금 눈앞에 펼쳐진 풍경에 녹여 넣었다.
별, 그리고 밤하늘은 더욱 선명하게…….
나무와 가지는 더욱 크고 웅장하게…….
그리고 나무 아래에 있는 발을 삔 소녀와 그 소녀를 부축하는 소년…….

카토 메구미
Megumi Kato
하시마 이즈미
Izumi Hashima
효도 미치루
Michiru Hyodo

사와무라
스펜서
에리리
Eriri Spencer Sawamura
카스미가오카
우타하
Utaha Kasumigaoka

시원찮은 히로인 그녀를 위한 육성방법
Girls Side 3
마루토 후미아키 = 지음
미사키 쿠레히토 = 일러스트
Saenai heroine no sodate-kata. Girls Side 3
Presented by Fumiaki Maruto
Illustration : Kurehito Misaki

Girls Side
걸즈 사이드

시원찮은 그녀(히로인)를 위한 육성방법

마루토 후미아키 지음

미사키 쿠레히토 일러스트

이승원 옮김

목차

\신생/
blessing
software
멤버명단

▼ 프로듀서

▼ 기획, 서브 디렉터,
메인 히로인

▼ 기획, 디렉터, 시나리오

▼ 음악

▼ 원화, 그래픽 담당

Saenai heroine no sodate-kata. Girls Side 3

이 프롤로그는 12권 2장을 읽은 후에 읽어 주십시오

『메구미 씨! 생일 축하해요!』

『아, 고마워, 이즈미 양.』

9월 하순. 일요일 오후.

잠을 자지도, 일어나지도 않은 채 이불 안에서 꿈틀거리고 있던 그녀를 일상으로 되돌린 것은 베갯머리에 있던 스마트폰에서 흘러나온 벨 소리였다.

『연락을 늦게 드려서 죄송해요!』

『생일 선물을 준비하는데 시간이 좀 걸렸거든요…….』

『괜찮으니까 너무 신경 쓰지 마.』

천장을 쳐다보며 침대에 드러누운 채 스마트폰을 만지자, 화면에는 친구이자 후배이인 같은 서클 멤버에게서 온 생일 축하 메시지가 와있었다.

『누구누구 씨와는 다르게』 센스 있는 그 깜짝 메시지를 본 그녀는 아주 약간이지만 밝은 표정을 지으며, 규칙적으로 손가락을 놀려 답장을 보냈다.

『아뇨! 그럴 수야 없죠!』

『좀 늦기는 했지만 생일 일러스트를 준비했어요~♪』

『와, 정말이야? 기뻐.』

『아, 그런데 이즈미 양. 원화 쪽은…….』

그런 평범한 대화 덕분에 그녀의 머릿속을 가득 채우고 있던 짙은 구름 사이로 드디어 희미하게나마 햇살이 쏟아져 들어왔다.

어제는 그녀에게 있어 인생 최악의 날이었다.

……아니, 그래도 제대로 연락을 받았고 납득하기에 충분한 이유도 있었으며, 진심어린 사과도 받았으니, 이렇게 가라앉을 필요는 없을지도 모른다.

하지만 그때 느꼈던 아쉬운 마음과 이유 모를 불안 때문에 아침까지 잠들지 못했던 것도 사실이다.

『에헤헤. 죄송해요. 실은 단순한 진척 상황 보고예요(식은 땀).』

"아……."

그리고 스마트폰 화면에 표시된, 그 일러스트를 본 순간…….

겨우 맑아지려 하던 그녀의 마음이 이번에는 안타까움에 뒤덮였다.

『이번 주부터 겨우 메구리 루트의 이벤트CG 작업에 착수했어요!』

『그리고 죄송하지만, 순서를 무시했어요…….』

『이 이벤트CG는 「메구리19」예요.』

『메구리와 주인공이 키스 직전까지 가는 장면 말이에요!』

화면에는 한 소녀가 그려져 있었다.

쇼트 보브 헤어스타일에…….

그것 이외에는 딱히 특징이라고 할 만한 요소가 존재하지 않지만…….

일러스트레이터의 빼어난 실력 덕분에 매우 귀엽게 그려져 있으며…….

실은…… 그녀와 약간 닮았다.

하지만 그게 당연했다.

왜냐하면 이 소녀는, 그녀들이 속한 서클이 만들고 있는 게임의 등장인물…….

……그녀를 모델로 해서 만들어진, 게임의 메인 히로인이니까 말이다.

『시나리오를 봤더니 「메구리, 귀여워~!」 같은 생각이 엄청 들더라고요.』

『그래서 그리고 싶어지지 뭐예요~.』

"윽……."

손에 쥔 스마트폰을 놓친 그녀는 두 손으로 얼굴을 감쌌다.

자신의 생일을 축하해주는 일러스트…… 아니, 자신들이 만드는 게임을 매력적으로 꾸며줄 이벤트CG를 보고, 가슴이 옥죄어들었기 때문이다.

스스로 시나리오라이터와 함께 상황을 재현하고, 메인 히로인으로서 연기했던 소녀에게서…… 뭐랄까, 말도 안 될 정도의 『여성스러움』을 느꼈기 때문이다.

『메구미 씨?』

『저기, 이 일러스트, 어떤가요?』

『이상한 부분이 있으면 고칠 테니 말해주세요.』

『메구미 씨~?』

그 순간, 자신은 이런 표정을 짓고 있었던 걸까.

……아니, 자신이 이런 표정을 짓고 있다고 여긴 걸까.

…………그리고, 이런 표정을 짓고 있었을지도 모르는 순간을, 『그』는 보고 있었던 걸까.

"잘못…… 그렸어, 이즈미 양."

이제야 밝히지만, 그녀의 이름은 카토 메구미.

"나는, 『사랑』에 빠지지 않았단 말이야……."

어제, 주인공 아니, 남자 오타쿠(아키 토모야)가 생일 데이트 약속을 펑크 낸 바람에 마음에 깊은 상처를 입은 메인 히로인이다.

제12.2.5화

제3차 본처 전쟁

"……좋아. 이걸로 후배 루트와 사촌 루트의 선화(線畫)는 오케이야. 수고했어, 이즈미."

"만세에에에에~, 끝났다아아아~."

도심의 서쪽에 있는 한적한 주택가 안에 있는 신축 단독주택.

일요일 아홉 시 방송인 무인도 개척(D○SH마을)과 세상의 끝을 향한 여행(잇테Q!)이 끝났을 즈음, 이 단독주택의 2층에서 소녀의 환호성이 터져 나왔다.

뭐, 이웃사촌들에게 폐가 되지 않도록 목소리 크기를 줄이기는 했지만 말이다.

"하지만 퀄리티가 좀 신경 쓰이는걸……."

"어? 좀 나쁜 부분이라도 있어? 말해주면 고칠게, 오빠……가 아니라 디렉터."

"반대야. 예상했던 것보다 너무 잘 그렸어. 즉, 과잉 품질이라는 거지……. 특히 후배 히로인이 말이야."

"……아~ 그건 으음, 연하 글래머 캐릭터 디자인의 승리라고나 할까, 솔직하고 귀여운 성격이라는 설정의 승리라고나 할까~."

이런 식으로 자기정당화와 자랑이 담긴 변명을 입에 담은 글래머에 귀여운 여자애의 이름은 하시마 이즈미.

사립 토요가사키 학원의 1학년이자, 게임 제작 서클 『blessing software』의 캐릭터 디자인 및 원화 담당, 그리고 이 방의 주인이자 몇 시간(프롤로그) 전에 메구미와 LINE로 이야기를 나눴던 소녀다.

"뭐, 아직은 스케줄에 지장이 없으니까 괜한 소리는 안 할게."

"그, 그래?"

"하지만 이렇게 기합이 잔뜩 들어간 선화에 컬러 작업을 할 때도 스케줄에 영향을 주지 않을 수 있겠어? 또 괜히 퀄리티에 집착한 나머지, 마감을 어기지는 말아 달라고."

"……오빠, 방금 그 말 같은 걸 괜한 소리라고 하는 거야."

"애초에 선화라는 것은 색칠을 위한 가이드라인에 불과하니까 심플하게 그려도 돼. 내가 아는 상업 메이커 중에도, 엄청 뛰어난 그래픽 담당 덕분에 실력파라는 오해를 사고 있는 인기 원화가가 부지기수……."

"……오빠, 그 말은 안 하는 편이 좋지 않을까?"

그리고 이런 식으로 푸념과 모 업계의 어두운 실상이 담긴 설교를 늘어놓는 갈색 머리카락을 지닌 미남의 이름은 하시마 이오리.

도립 오료 고등학교 3학년이자, 게임 제작 서클『blessing software』의 프로듀서 겸 디렉터, 그리고 이즈미의 두 살 연상의(어이, 걸즈 사이드 아니었어?) 친오빠다.

"자, 그럼 이즈미는 다음 주부터 예정대로 메인 히로인 루트의 원화 작업에 착수……."

"메구리 루트, 엄청 기대돼~! 이미 완성된 시나리오만 봐도 가슴이 콩닥거린다니깐~!"

"……뭐, 뜻밖으로 느껴질 만큼 여러모로 순조로운 것 같아서 다행이긴 해."

이오리는 이즈미가 어느새 완성시킨 메구리 루트의 원화를 보면서 미묘하게 쓴웃음을 지었다.

확실히, 현재 메인 히로인, 카노 메구리 루트는『여러모로』 순조롭다.

시나리오는 한때 벽에 부딪쳐서 제자리걸음을 했지만, 요즘 들어 그 낭비한 시간을 메우고도 남을 정도의 속도로 텍스트가 매일같이 완성되고 있다.

게다가 그 내용 또한 이즈미가 방금 말한 것처럼『가슴이 콩닥거리는(구매자의 마음을 빼앗는)』 퀄리티였다.

그 뿐만 아니라, 그런 시나리오에 자극을 받은 이즈미가 그린 메구리 또한…… 이 첫 원화만 봐도 알 수 있을 만큼 완성도가 끝내주니, 승리는 약속된 것이나 다름없다.

캐릭터 조형도 비주얼도 서클 대표가 말한 것처럼 그야말로 메인 오브 메인(돈을 긁어모을 수 있는) 히로인…….

“아, 맞다. 오빠는 알고 있었어? 코사카 아카네 씨가 쓰러졌다던데…….”

“……그걸, 누구한테 들은 거야?”

탐관오리 같은 표정으로 돈을 긁어모을 생각을 하고 있던 이오리는 이즈미의 입에서 나온 이름을 들은 순간, 늘어져 있던 표정을 굳히면서 눈썹을 찌푸렸다.

“아, 메구미 씨한테서 들었어. 토모야 선배한테서 들었다던데…….”

“토모야 군……한테서?”

이즈미가 준 정보 그 자체는 이오리도 이미 파악하고 있다.

코사카 아카네—.

이오리가 예전에 소속되어 있던 초대형 서클 『rouge en rouge』의 창설자이자, 상업계에서 막대한 성공을 거두고 있는 슈퍼 크리에이터.

하지만 이오리에게 있어서는 크리에이터적인 측면보다 프

로듀서적인 측면에서 막대한 영향을 끼친, 『작품을 팔기 위해서는 수단과 방법을 가리지 않는』 위대한 스승이다.

그런 몬스터가 과로 때문인지, 뭐라도 잘못 먹은 건지 얼마 전에 뇌경색으로 쓰러져서 병원으로 옮겨졌다는 사실은 이오리가 다방면으로 깔아둔 인맥 네트워크를 통해 알고 있었다.

하지만 이즈미가 한 말에는, 가십 잡지에서 『정보통인 A 씨』로 소개될 듯한 이오리조차도 파악하지 못한 놀라운 사실이 담겨 있었다.

그것은 바로, 그의 예전 보스와 현 보스의 『비밀스러운 관계』였다.

※ ※ ※

"아~, 시나리오 작성 관련으로 상담을 받았던 것 같아."

"토, 토모야 선배가, 그 코사카 아카네에게요?!"

그리고 월요일 방과 후.

저녁노을이 드리워진 통나무집 느낌의 카페에서는 하교 중인 3학년(메구미)과 1학년(이즈미)이 사이좋게 테이블에 마주 앉아서 약간 심각한 이야기를 나누고 있었다.

"그, 그럼, 코사카 씨의 병문안을 가야 해서 오늘은 바로 돌아간 건가요?"

"아마 그렇지는 않을 걸? 병문안은 토요일에 갔었고, 그 때 목숨에 지장은 없다는 이야기는 들었다는 것 같아."

"에이, 그랬나요……. 그럼 오늘 이 자리에 부를 걸 그랬네요~."

"아, 으음…… 지금 메인 시나리오의 중요한 부분을 작업하고 있거든. 방해하는 건 좀 그렇잖아."

토모야가 메구미에게 말을 걸지 않고 서둘러 돌아간 것은 아마 토요일에 그녀와 전화로 했던(12권 제2장 참조) 약속을 지키기 위해 한동안 거리를 두려는 거겠지만…….

메구미는 눈앞의 후배처럼 순수하지도, 정직하지도 않았기에 솔직하게 그 사실을 털어놓지 못했다.

"그, 그건 그렇고! 코사카 아카네에게 지도를 받다니, 토모야 선배는 정말 대단하네요! 이거 신급 시나리오가 완성되는 거 아니에요?!"

"아~. 그럴지도 모르겠네~."

그런 미세한 감정 차이를 이해하기에는 어린 이즈미가 코사카 아카네에 대해 언급한 순간, 메구미는 방금까지 머릿속으로 한 생각을 티내지 않으며 대충 맞장구를 쳤다. 역시 음험…… 아니, 매사에 무덤덤한 소녀다웠다.

"요즘 들어 메구리 시나리오의 완성도가 끝내줬던 건 코사카 아카네에게 특훈을 받았기 때문이군요~."

"……그럴까~? 가르침을 좀 받았다고 해서 바로 효과가 나타나지는 않을 것 같은데 말이야."

"하지만 실제로는 효과가 나타나고 있잖아요! 『메구리15』 이후의 개별 루트 부분을 보면서, 저는 세 줄 정도 읽을 때마다 한 번씩 데굴데굴 굴렀다고요! 그것도 같은 부분을 다시 읽을 때마다 매번 말이에요! 아~ 메구리, 귀여워요! 너무 귀여웠다고요!"

"……고, 고마워."

"응? 메구미 씨가 왜 고마워하는 건데요?"

"아~ 그게, 으음…… 서브 디렉터로서 원화 담당인 이즈미 양이 이렇게 열의를 불태워주는 게 기쁘다고나 할까……."

이즈미의 솔직하기 그지없는 찬사는 메구미의 감각과 감정에 부끄러움과 기쁨, 열기와 한기, 고통과 간지러움이라고 하는 상반된 감정을 크게 혹은 작게 자아내고 있었다.

그래도 메구미는 「저기, 그 시나리오는 둘이서 했던 롤플레잉을 그대로 옮겨다놓은 거야」 같은 말을 할 수 없었다. 결국 표정이 씰룩거리는 것을 필사적으로 참고, 괜한 소리를 할 것 같은 입을 손으로 막으면서, 무덤덤한 태도를 취했다.

"뭐, 아무튼 그렇게 바쁜 코사카 아카네가 저희 서클에 협력해준다는 건 정말 엄청난 일이에요! 아~, 오빠가 병문안을 갈 때 따라갈 걸 그랬네."

"…………그렇게 황송해할 필요는 없을 것 같은데."

"……메구미, 씨?"

하지만 곧 음험…… 아니, 평소 모습으로 돌아온 것은 무덤덤함의 천재이기 때문일까.

"우리 서클은 그 사람한테 전혀 빚을 지지 않았는걸. 오히려 그 사람이 우리 서클에 엄청 빚을 졌잖아."

"아, 아, 예……."

반 년 전에 중도 가입한 이즈미는 코사카 아카네와 『blessing software』…… 아니, 에리리와 우타하의 이탈 경위에 대해서 객관적인 사실만을 알고 있다.

"확실히 그 코사카 씨는 업계에서 엄청난 사람일지도 모르지만…… 동인 서클로서 조촐하게 활동하던 우리와는 원래 얽힐 일이 없을 사람이야……."

"맞아요! 죄송해요! 제가 잘못했어요!"

그래서 이즈미는 자신이 얼마나 커다란 지뢰를 밟은 것인지를 정보가 아니라 본능을 통해 감지할 수밖에 없었다.

"그러지마, 이즈미 양은 아무 잘못도 하지 않았잖아 그러니까 그렇게 움츠러들 필요 없어."

"아, 예…… 죄송해요, 메구미 씨."

……뭐, 그 본능이 어마어마하게 경종을 울려댔기 때문에 이렇게 전면 후퇴를 한 것이지만.

"아, 그러고 보니 오빠도 메구미 씨와 약간 비슷한 반응을 보였어요."

"뭐……?"

하지만, 그건 그것이고, 이건 이것인지라…….

"기본적으로 코사카 씨를 걱정했지만, 「토모야 군과 연락을 취했다는 이야기는 듣지 못했어」, 「아카네 씨, 좀 너무하잖아」 같은 말을 투덜대듯 중얼대더라고요."

"이즈미 양의 오빠가……?"

아무리 뛰어난 감지 능력을 지녔다고 해도 결국 하시마 이즈미는 하시마 이즈미에 불과했다.

"예. 그리고 마지막으로 「그런 상황이라면 나와 상의하지 그랬어」 라고도……."

이렇게 눈치 없이, 자연스럽게 사람을 최악의 방향으로 몰아넣는 걸 보면 역시 순진…… 아니, 솔직함의 천재라고 할 수 있으리라.

"……상의한다고 어떻게 되지도 않았겠지만."

"예……?"

그래서 한 번 밟았던 지뢰를 한 번 더 밟는 일도 자주 있으며…….

"이건 어디까지나 코사카 씨와 토모야 군의 개인적인 문제잖아. 아무리 서클의 프로듀서라도 멤버의 사생활적인 부분을 전부 파악하려고 하는 건 옳지 않다고 생각해."

"하지만 메구미 씨도 방금 코사카 씨가 우리 서클에 빚이 있다고……."

"이즈미 양."

"예, 예엣?!"

메구미는 그 순간 분명 미소를 지었다.

"이 이야기는 더 해봤자 아무 소용없을 것 같으니까 그만 하자. 응?"

"아, 아, 옙!"

하지만 이즈미는 눈앞에 있는 항상 상냥한 선배의 미소 속에 절대 들여다봐서는 안 될 어둠의 밑바닥이 존재하는 것 같은 느낌을 받았다.

아니, 아마 기분 탓은 아닐 것이다. 아마도 말이다.

※ ※ ※

"흐음, 아무 소용없다, 라……."

"으, 으음~, 어디까지나 서클에 있어서는 그렇다는 거야! 메구미 씨는 개인적으로 코사카 씨를 걱정했었어."

그리고 몇 시간 후, 하시마 이즈미의 집.

오늘도 이즈미의 방에서는 디렉터(오빠)와 원화가(여동생)의 개발 진척 회의가 진행되는 가운데…….

이즈미가 별생각 없이 메구미와의 대화 내용을 꺼내자 이오리는 평소처럼 머리카락을 쓸어 올리면서 의미심장한 반응을 보였다.

"뭐, 카토 양의 말이 옳긴 해……. 아카네 씨는 우리 서클의 멤버도 아니고, 우리가 제작하는 게임과는 아무런 상관도 없지."

"그, 그래. 확실히 코사카 씨가 걱정되기는 하지만, 그래도 우리는 우리가 해야 할 일을 열심히……."

"……전원이 그런 식으로 생각하고 있다면, 나도 괜한 걱정은 하지 않을 텐데 말이야."

"뭐……?"

그리고 이번에는 그런 의미심장한 말을 입에 담으면서 표정을 약간 굳힌 이오리는 또 머리카락을 쓸어 올렸다.

"카토 양, 잊은 거야……?"

"나는 이즈미인데……."

"이즈미, 잊은 거야? 아카네 씨는 현재 『필즈 크로니클 XIII』의 제작에 참여하고 있잖아? 즉, 그녀가 쓰러졌다는 사실은 그 게임의 제작에 적지 않은 영향을 끼칠 게 틀림없어."

"그건 그렇지만…… 하지만, 그거야말로 우리가 걱정해봤자……."

"그 사실은 카스미 우타코와 카시와기 에리의 운명에 커다란 영향을 끼치겠지? 그건 이해하고 있어?"

이오리는 눈앞에 있는 동생이 아니라 다른 누군가를 향해 말하는 듯한 어조로, 현재 상황을 명백하게 말했다.

“『필즈 크로니클XⅢ』이 없어진다면, 이 작품에 1년을 바친 그 두 사람은 엄청난 대미지를 입을 거야. 과연 그걸 간과할 수 있을까?”

“오빠…… 그렇게 카스미가오카 선배와 사와무라 선배를 걱정하는 거야?”

“그럴 리가 없잖아. 작년이라면 몰라도, 지금의 나와 그 두 사람은 그 어떤 이해관계도 존재하지 않아.”

“그럼 왜 그런 말을…….”

“하지만, 나는 괜찮더라도, 토모야 군이 못 본 척 할 수 있을까?”

“뭐……?”

“아카네 씨가 쓰러졌다는 걸 알고 만…… 카스미 우타코와 카시와기 에리가 위기에 처했다는 걸 알고 만 토모야 군은 지금 무슨 생각을 하고 있을까?”

“아…….”

그제야 이오리가 언급하려는 문제의 본질을 눈치챈 이즈미는…….

방금까지 남 일처럼 느껴졌던 위기가 먹구름이 되어서 순식간에 자신의 눈앞에 드리워진 것 같은 느낌을 받았다.

“토모야 군은 아카네 씨가 아니라, 카스미 우타코와 카시와기 에리를 위해 어떤 행동을 취할까?”

한때, 같은 이벤트에서 매상 대결을 펼쳤던 라이벌로서…….

그리고 현재, 다른 필드에 서있지만, 커다란 목표로서…….

계속해서 쫓았던 금발 소녀의 드센 표정이, 이즈미의 기억 속에서 선명하게 되살아났다.

"여러 가지 가능성이 떠오르기는 하지만…… 토모야 군이 그 중에서 무엇을 고르고, 어떤 각오로 그에 임할지, 나는 단정 지을 수 없어."

"오빠……."

이즈미의 말은 눈앞에 있는 이오리를 향하고 있지만…… 그 말을 진정으로 전하고 싶은 상대는 지금 이 자리에 없었다.

"그러니, 나는 이 이야기를 이대로 끝낼 수 없어……."

그리고 이오리도…… 아니, 그는 아까부터 계속…….

"그건 그렇고…… 우리 부대표는 넓은 시야에서 이 사태를 지켜보고 있으려나?"

이 자리에 없는, 자신과 비슷한 포지션인 상대에게 언령(言靈)을 보냈다.

"그렇게, 모든 사실을 고려하면서 다양한 가능성에 대비해 움직이는 게, 우리처럼 『앞밖에 못 보는 대표(토모야 군)』를 떠받치는 이들의 역할이 아닐까~?"

……그 표정에 어려 있는 것은 어느새, 우려에서 조롱으로 바뀌었다.

물론 그 말을 전해야 하는 이즈미에게 그 본성을 드러낸다는 실수를 범하지는 않았다.

※ ※ ※

"흐, 흐, 흐으으으으으으으으음~."

"저, 저, 저기~, 메구미 씨……?"

그리고 다음날인 화요일 점심시간.

과거, 고고한 선배(카스미가오카 우타하)의 점령지였던 학교 옥상 벤치에서, 메구미와 이즈미는 도시락을 먹으며 대화를 즐기고 있었다.

"그렇구나……. 나, 부대표 실격이네……."

"저, 저, 저기, 왜 그렇게까지……."

……라고 표현하기에는, 왠지 두 사람이 일촉즉발의 분위기를 자아내고 있었다.

"넓은 시야로 이 사태를 지켜보고 있지 않아……. 다양한 가능성에 대비하지 않았어……. 정말 문제네."

"그, 그러니까! 그건 전부 오빠의 의견이에요! 제가 그렇게 생각하는 게 아니라고요!"

메구미의 불온하기 그지없는 표정과 목소리 때문에 울먹거리면서도, 이즈미는 필사적으로 그녀를 달래려 했다. 또한 자신은 어디까지나 메신저에 불과하다는 사실을 강조하는 것도 잊지 않았다.

……뭐, 그녀가 눈치를 발휘해 메신저라는 역할을 수행하

지 않았다면, 이런 사태는 벌어지지 않았을 테지만 말이다.

“응. 나도 알아. 이즈미 양은 아무 잘못 없어……. 진정한 적은 따로 있는 거잖아.”

“적이라고 말하지 말아줄래요?! 게다가 최종 보스 취급도 하지 마세요!”

뭐, 그러지 못하니까, 그녀는 붙임성이 좋은데도 서클 안에서 두려움의 대상이 되고 있는 것이다.

“걱정하지 마. 진짜로 농담한 거야, 이즈미 양.”

“농담 맞죠? 진짜로 농담인 거죠? 그럼 부탁드릴게요, 메구미 씨. 장난으로라도 두 번 다시 그런 표정을 짓지 말아주세요. 제 인생의 최대 부탁이에요.”

이즈미가 부들부들 떨면서 자신의 손을 잡자, 메구미는 상냥한 표정을 지으면서 담담한 어조로 타이르듯 말했다.

“토모야 군과는 자주 이야기를 나누고 있어.”

“그, 그런가요?”

“응. 그 두 사람을 엄청 걱정하긴 했어. 『필즈 크로니클』도 포함해서.”

“하, 하지만, 그럼 더…….”

“그래도 약속했어.”

“뭘, 말인가요?”

“『다른 일은 신경 쓰지 말고, 우리의 게임에만 전력투구하자』고.”

"아……."

12권 47페이지를 보면 알 수 있다

참고로 메구미가 제대로 기억하고 있는지는 확실치 않지만, 그 약속을 말한 사람은 메구미이며, 토모야는 그저 「알았어」 하고 대답하기만 했다.

"그러니까, 믿어주자."

"메구미 씨……."

"토모야 군을, 믿어주는 거야……."

하지만 약속을 한 것은 사실이며, 『메구미에게 있어서』 그것은 충분히 신뢰할 수 있는, 두 사람만의 맹세일지도 모른다.

하지만…….

"아, 그러고 보니 오빠가 이런 말도 했어요."

"뭐라고 했는데?"

"만약 메구미 씨가 『토모야 군을 믿자』 같은 말을 입에 담는다면, 그건 완전히 믿고 있지 않다는 증거래요."

"……."

그러나 지금까지 다양한 서클에서, 다양한 인간관계의 붕괴를(직간접적으로) 경험한 이오리에게, 그런 감정의 흔들림을 찾아내는 것은 동인지에서 오타를 찾는 것만큼 간단한 일이었다.

"어, 어라? 어라? 메구미 씨?"

"저기이이이~, 이즈미 양~."

"히이이익~?!"

"내 생각에…… 그렇게 남의 말꼬리를 잡는 것 같은 말투는 엄청, 엄청, 좋지 않다고 생각하거든? 인간적으로 말이야~."

"저, 저기 방금 그 말은 제 오빠가 한 건데……."

"멤버를 신용하지 않는 프로듀서의 밑에는, 결국 최종적으로 아무도 남지 않을 거라고 생각하는데……. 아, 그래서 예전 서클도 관둘 수밖에 없었던 거구나~."

"메구미 씨이이이이이이~!"

뭐, 이것도 이즈미가 바보처럼 솔직하게 말을 전한 바람에 (이하 생략).

※ ※ ※

"잘 들어, 이즈미. 프로듀서에게 필요한 것은 인간적인 신뢰가 아니야. 조직을 원활히 돌아가게 하는 능력이라고."

그로부터 몇 시간 후, 이즈미의 방.

"확실히 감정이나 정신론을 이용해 엄청난 기적을 일으키는 프로듀서도 있어……. 하지만, 그런 사람은 돈이나 납기 기한이나 품질 같은 문제가 발생한 순간, 지금까지 자신을 따르던 멤버를 버리고 도망친 끝에, 다른 서클이나 회사를 만들어 부활해. 나는 지금까지 그런 사람을 몇 명이나 봐왔어."

방 안을 빙빙 돌면서 머리카락을 쓸어 올린 이오리가 이야기해준 것은 서클 프로듀서로서의 긍지다.

"그러니 이건 내 생각인데…… 프로듀서에게 진짜로 필요한 것은 리더십 같은 게 아냐. 항상 냉정하게 발생한 문제를 감지하고, 재빠르게 문제의 싹을 자르며, 순조롭게 사태가 진행되게 하는 능력이지. 설령 멤버 전원에게 미움을 사더라도 말이야."

"이제 싫어어어어~! 오빠가 직접 메구미 씨에게 말해~!"

……하지만 언뜻 듣기에는 올바른 것 같은 그 논리도, 지금까지 수도 없이 휘둘렸던 이즈미의 머리에는 전혀 들어오지 않았다.

"저기, 이즈미. 그녀가 내 의견을 들을 것 같아?"

"덕분에 내 의견도 듣지 않게 됐단 말이야!"

믿고 의지하는 오빠와 상냥하고 연상인 지인의 심각한 대립구조(게다가 츤데레 요소는 전무)를 본 이즈미는(지금까지 눈치채지 못했던 거냐 같은 의견을 제쳐두기로 하고) 울먹거리면서 딴 짓…… 스마트폰으로 도피했다.

"아무튼, 나는 이 서클에 필요한 존재라고 자부해……. 못 말리는 리더(토모야 군)의 휘하에 있으며, 만약 그가 문제를 일으켰을 때 냉정하게 대응할 수 있는 존재거든."

"……."

"……이즈미?"

오빠의, 기나긴 연설이 끝났지만, 이즈미는 테이블에 엎드린 얼굴을 들지 않았다.

드디어, (괜한)메신저라는 역할을 집어던진 후, 상대에게서 아무 말도 전하지 않고, 상대에게서 아무 말도 듣지 않으며, 그저 폭풍이 지나가기만 기다릴 뿐이었다…….

"아, 답장 왔네."

"뭐?"

아니, 그렇지 않았다.

『나는 이 서클에 필요한 존재라고 자부해.』

『만약 그가 문제를 일으켰을 때 냉정하게 대응할 수 있는 존재거든.』

『……라네요.』

『흐음~.』

『이즈미 양의 오빠는 자의식이 강하네.』

『하지만 보통은 그런 걸 착각이라고 할 걸?』

"……호오."

이즈미가 이오리에게 내민 스마트폰에는 LINE의 대화창 화면이 표시되어 있었다.

그리고 대화 상대는 물론…….

"오빠, 할 말 없어?"

그렇다. 이즈미는 메신저라는 입장을 버리지 않았다.

그저, 이제까지보다 훨씬 순도 높은 진정한 메신저가…….
뭐, 간단히 말해 단순한 메시지판이 된 것이다.
"착각이라……. 입은 살아있나 보군."

『착각이라……. 입은 살아있나 보군.』
『이래요.』

『그런 서포트라면 내가』
『아니, 우리가 해줄 수 있어.』
『이즈미 양과, 효도 양과, 내가 말이야.』
『저, 저기, 오빠도 일단은 멤버…….』
『뭐, 그렇게 말할 줄 알았어.』
『하지만 너희는 토모야 군이 사고를 쳤을 때, 냉정할 수 있을까?』
『감정에 휘둘려, 최적의 판단을 못하게 될 여지는 없을까?』
『할 수 있어.』
『저, 저기, 오빠…….』
『얼마든지 할 수 있어.』
『주저 없이 대답하는군.』
『이미 감정에 휘둘리고 있는 것처럼 보이는데 말이야.』
『생각해볼 필요도 없는 질문이니까, 빨리 대답했을 뿐이야.』
『너희라면 토모야 군을 구할 수 있겠지.』

『하지만 서클을 구할 수 있을까?』

『게임 제작을, 계속 추진할 수 있을까?』

『그러니까, 도발하지 좀…….』

『……역시 이런 괜한 대화는 할 필요가 없을 것 같네.』

『아앗! 죄송해요, 메구미 씨!』

『아, 이즈미 양은 아무 잘못 없어.』

『어, 어~, 이 말을 전하라는 거야?』

『저기, 죄송한데 지금부터 하는 말은 전부 오빠가 한 말이에요.』

『그러니까, 이제 시시콜콜 전부 전하지 않아도』

『결국, 감정에 휘둘리고 있는 것 같은데 말이야.』

『울음을 터뜨려서, 토모야 군을 난처하게 하겠지.』

『너는, 겉보기보다 훨씬 성가신 여자니까 말이야.』

『그런 짓 안 해.』

『내가 왜 울어.』

『나는 성가시지 않아.』

『토모야 군을 난처하게 안 해.』

『그런 착각 좀 그만 해주면 좋겠네.』

『……말수가 꽤나 늘었는걸.』

『정곡을 찔렀다면 사과하지.』

『사과도, 대화도 필요 없어요.』

『이만 실례할게요.』

『아앗! 메구미 씨!』

『죄송해요! 내일, 학교에서 뵐게요~!』

12권 제5장

그리고 다음날, 수요일 밤…….

뭐, 간단하게 말해 이오리가 판정승을 거두게 된다.

제12.4.5화

시원찮은 그녀를 위한 육성방법 around 30's side ♭

"저기, 오소노."

"왜? 아카네."

도심에서 동쪽으로 강가에 존재하는 고급 호텔을 버금케 할 만큼 호화로운 종합병원.

"배고파. 피자 시켜줘."

"정말~, 저녁 먹은 지 얼마 안 됐잖아요, 어머님."

그 병원 안에 있는, 고급 호텔의 객실로 착각할 만큼 호화로운 병실에는 며느리와 시어머니가 아니라, 같은 연령대(30대)의 환자와 병문안 손님이 있다.

"그거 먹고 배가 부르겠냐? 이 망할 며느리야."

잠옷 차림으로 침대에 누워있는 검은색 장발 여성의 이름은 코사카 아카네.

최근 10년만에 오타쿠 업계를 석권했고, 매일같이 생산되는 애니메이션과 코믹스 때문에 그 이름을 보지 않는 날이

없을 정도의 업무량과 인기를 자랑하는 슈퍼 크리에이터.

……하지만, 지금은 뇌경색으로 쓰러져, 이 병원에서 연금 생활 중인 가련한 입원환자.

"그건 그렇고 깜짝 놀랐어, 아카네."

"뭐가 말이지?"

"네가 TAKI군과 그렇게 어른스럽지 못한 싸움을 벌일 줄은 몰랐거든……. 아, 네가 어른스럽지 못하다는 걸 부정하는 건 아냐. 네가 광견이라는 건 업계 전반의 공통적인 인식이잖아. 하지만 기본적으로 너는 업계인에게만 달려들지, 유저에게는 달려들지 않는다고 생각했거든."

"……너는 내 화를 돋워서 일찍 죽게 만들기 위해 파견된 암살자냐?"

그리고 침대 옆에 놓인 의자에 앉아있는, 검은색 정장 차림에 흑발 쇼트커트 여성의 이름은 마치다 소노코.

업계에서 꽤 큰 편인 후시카와 서점에서 10년 동안 편집자로 일했으며, 현재는 부편집장으로서 그 이상의 지위를 노리고…… 아니, 분투하고 있는 실력파 에디터.

……하지만, 지금은 본업보다 뇌경색으로 쓰러진 작가 선생님을 돌보는 것을 최우선사항으로 삼고 있는 가련한 간병인이다.

"애초에 먼저 달려든 건 상대방이야. 이쪽 게임(필즈 크로니클 XIII)의 진척에 대해 꼬치꼬치 캐묻고, 말대꾸를 해대다 멋대로 화내기까지…….”

“하지만 단순한 『유저의 헛소리』였다면 너는 귀도 기울이지 않았을 거잖아? 하지만 그의 주장을 『정곡을 찌르는 중요한 의견』으로서 받아들였던 거지?”

“……몰라.”

환자와 병문안 손님이자 작가와 편집자, 그리고 대학 시절의 서클 동료인 두 사람이 화제로 삼고 있는 것은 몇 시간 전에 벌어졌던 일이다.

아카네가 제작 중인 게임에 꽤 간섭했을 뿐만 아니라, 뇌경색 환자와 대판 싸웠으며, 최종적으로는 그 게임의 디렉터 업무를 대신하게 된, 주제를 모를 뿐만 아니라 무슨 생각을 하는 건지도 도통 알 수 없는 평범한 고등학생(아키 토모야)이 관련된 일이다.

하지만 그런 귀찮은 사태가 벌어진 것은 그가 툭 하면 폭주하는 성격인데다…….

“그러고 보니 아카네가 쓰러지고도 그를 계속 신경 쓴 데다, 일부러 연락까지 했다면서? 이유가 뭐야?”

자신이 위기 상황에 처했다는 사실이 그에게 전해지게 한 아카네에게도 잘못이 있었다.

“……딱히 이유는 없어. 왠지 신경 쓰였을 뿐이야.”

“등장인물의 행동에도 명확한 논리를 추구하던 네가 자기 행동에 이유를 다는 걸 포기하는 거야?”

"진짜로 별 이유는 없어. ……그저, 지난주에 업무와 상관없는 일로 나에게 전화를 한 유일한 인물이 그였던 것뿐이야."

"너의 그 고독한 독신녀다운 현실은 제쳐두기로 하고, 대체 어떤 이야기를 나눈 거야?"

시비를 거는 걸까. 놀리는 걸까. 아니면 비난하는 걸까. 혹은 그 전부가 목적일지도 모를 이 친구의 말을 듣고 아카네는 약간이지만 진심으로 짜증이 난 표정을 지었지만…….

곧 그녀는 일주일 전의 상황을 떠올리기 위해 이마에 손을 얹더니, 말을 골라가며 이야기를 했다.

"그 녀석이 만드는 게임 관련으로 상담을 해줬어. 아무래도 시나리오 집필이 막힌 것 같아."

"……결국, 업무 이외의 이야기라는 것도 다른 사람의 업무인 거구나."

"너는 나를 『마음을 허락할 친구나 남자가 없는 불쌍한 여자』라고 단정 짓고 싶은 것 같다만……."

"뭐, 좋아. 그럼 그게 계속 마음에 걸렸던 거야? 그렇게 심각한 내용이었어?"

"아, 그때 진짜로 심각한 상황이었던 건 사실 나야."

"그게 무슨 소리야?"

"온몸이 후들거리면서 일어서지도 못할 때, 그 전화가 왔거든."

"……뭐?"

"아, 지금 생각해보면 그게 첫 자각증상이었던 것 같아. 하하하."

"아카네에에에에에에에에에~?!"

하지만 아카네가 골라서 한 말도 마치다가 받은 충격을 줄여주지 못했다.

"그게 무슨 소리야?! 예전부터 징후가 있었던 거야? 게다가 도움을 청할 수 있었던 상황이었어?!"

"뭐, 지금 생각해보니 그렇게 볼 수도 있을 것 같네."

시치미 떼는 어조로 그렇게 말하자, 마치다는 이곳이 병원이라는 것도, 아카네의 현재 상태도 까맣게 잊으며 환자에게 책임을 추궁하고 말았다.

"그렇게 볼 수밖에 없잖아! 왜 그때 아키 군에게 도움을 청하지 않은 거야?!"

"오소노는 바보지? 그런 짓을 어떻게 해."

"이유가 뭔데?! 고등학생 남자애에게 의지하는 게 부끄러웠어? 바보 같은 소리 하지 마! 응급차를 불러달라는 말만 하면 되잖아!"

"그런 소리를 어떻게 하냔 말이야."

"대체 왜 못하는 건데?!"

하지만, 그런 마치다의 불합리한 추궁을…….

"그야, 우리는 게임 이야기를 하고 있었거든."

"……뭐?"

아카네는 의미를 알 수 없는 변명으로 완벽하게 마치다를 물리쳤다.

"게다가 미소녀 게임에서 가장 중요한 메인 히로인 시나리오에 대해 이야기하는 중이었어. 그 작품의 완성도를 결정짓는 가장 큰 요소란 말이야. 그러니 이야기에 집중할 수밖에 없었지 뭐야."

"무슨 바보 같은 소리를 하는 거야……."

"이야, 아마추어라고 바보 취급을 하면 안 되겠던걸? 생각했던 것보다 훨씬 괜찮은 기획이었어."

"그런 걸 묻는 게 아냐아아앗~!"

마치다는 눈앞에 있는 친구를, 지금까지 몇 번이나 『인간 말종 크리에이터』라고 애정을 담아 불렀다.

하지만 지금 이 순간, 그 인식이 옳았다는 사실을 깨닫고 등골이 오싹해졌다.

"오소노, 좀 진정해봐. 그건 메인 루트의 완성도에 따라 완전히 탈바꿈할 수도 있어……. 맞아, 카스미 우타코에게 시나리오 집필을 배웠다고 했지? 그렇다면 그 정도 시나리오 정도는 당연히 쓸 수 있겠지……."

"나는 네 생각을 이해할 수가 없어서 미칠 지경이야……."

어떤 때는 자신의 모든 시리즈를 백만 부 이상 팔아치운 천재 작가.

어떤 때는 자신의 미디어믹스를 무슨 수를 써서라도 성공시키는 왕고집 프로듀서.

그리고 어떤 때는 자신의 마음에 든 인재를 전부 손에 넣어서, 더욱 성장시키거나 짓밟아버리는, 슈퍼 원맨 사장.

하지만 그 실체는…… 창작을 위해서라면 그것이 자신의 작품이든 남의 작품이든 전력을 다하며, 작품에 목숨마저 바치는…… 아니, 목숨을 바친 것조차 눈치채지 못하는, 순수한 크리에이터.

"아카네…… 너, 대학 다닐 때나 지금이나 전혀 달라진 게 없네……."

"그래? 그 때는 며칠 밤을 새더라도 병원 신세를 지지 않았어."

서른 밖에 안 되었는데 벌써 너덜너덜해진 육체를, 노회하다고 할 수 있는 정신력으로 움직이고 있는, 판단력만 어린애나 다름없는 이 언밸런스한 여성은…….

자신의 말을 듣지 않는 오른손으로 재활용 공을 쥐더니, 어린애처럼 순수하게 그것을 쥐락펴락하고 있었다.

그런 아카네의 표정을 보자, 마치다는 그녀가 자신의 완치를 눈곱만큼도 의심하지 않으며 믿고 있다는 사실을 알 수 있었다.

"대학 때는 일주일 동안 밤샘을 하며 『필즈 크로니클Ⅶ』을 레벨99까지 올렸잖아? 칫치의 아파트에서."

"……그러고 보니 너는 나뿐만 아니라 치토세[칫치]한테도 그런 이상한 별명을 붙였지."

그렇다. 그것은 10년도 전의 일이다.

소오 대학 1학년이었던 그녀들은 만화 연구회의 코믹마켓 참가에 맞춰 『신입 셋이서 동인지 한 권』이라는 목표를 여름 방학 동안 달성해야만 했다.

그녀들은 합숙을 빙자해 혼자 살고 있던 동료의 방에 쳐들어가서, 원고는 제쳐두고 신작 게임에 빠져 지냈던 그리운 나날…….

"논스톱으로 플레이하면서도, 너희는 망겜~ 망겜~ 하고 노래를 불렀지."

"그러는 아카네야말로 가장 불평을 늘어놓았잖아."

"나는 긍정적으로 『여기를 이렇게 했으면 더 나아졌을 거다』 같은 주장을 했을 뿐이니까 괜찮아. 오소노와 칫치는 시스템과 시나리오의 흠만 잡아댔잖아. 하나도 건설적이지 않았어~."

"맞아. 너, 도중에 「불평만 늘어놓을 거면 플레이하지 마!」 하면서 화를 냈었지?"

"마지막에는 아예 말도 섞지 않았잖아~."

"그런데 아무도 돌아가지 않고, 묵묵히 교대로 레벨을 올렸어~.”

“그러다 칫치가 우연히 비밀 던전을 찾아내서…….”

“다들 흥분해서 얼싸 안았었지~. 방금까지 말도 섞지 않았으면서 말이야.”

“우리, 바보였구나.”

“너는 지금도 바보지만 말이야.”

그리고 마치다는 떠올렸다…….

코사카 아카네는 그 시절부터, 창작이나 스토리 그리고 『내가 생각하는 최강의 작품』에 대해 한 번 이야기를 시작하면 몇 시간은 쉴 새 없이 말을 늘어놓을 만큼 성가신 오타쿠였다는 사실을…….

“저기, 오소노.”

“왜?”

“저기…… 이렇게 옛날이야기를 하다 보니…….”

“그 시절로 돌아가고 싶어져?”

“아, 이대로 확 죽어버리는 플래그는 아닌가 하는 생각이 드네.”

“자기 인생까지 『하나의 이야기로써』 재미있게 만들려고 하지 마, 이 바보야.”

그리고 지금도 이 성가신 오타쿠는 변함이 없다는 사실을 깨달았다.

"그러고 보니 칫치도 자주 병문안을 오는데, 너희는 절대 여기서 마주치지 않네. 혹시 미리 짜고 있는 거야?"

"우연이야, 우연. 서로를 질색해서 그런지 서로를 탐지하는 레이더의 감도가 좋은 거야."

"너희는 대체 어쩌다 그렇게 사이가 나빠진 거야?"

"네가 중퇴하고 나서 이런저런 일이 있었어……."

"아하, 둘이서 한 남자를 두고 다투다가 따귀 대결이라도 벌인 거야? 그럼 자세하게 이야기해봐. 원작료라면 지불할게."

"……유감스럽게도 우리 둘 다 연애 같은 것과는 인연이 없어. 그리고 남의 체험을 멋대로 작품화하려고 하지 마."

"왜 너희 둘 다 남자와 인연이 없는 건데? 오타쿠라는 점 이외에는 꽤나 괜찮은 여자라고 생각하는데 말이야."

"『세 사람』 다 말이지……. 너야말로 자기를 챙겨줄 무직에 연하에 얼굴만 반반한 남자라도 하나 낚는 게 어때? 여성 작가라면 다들 그런 액세서리를 하나 정도는 달고 다니잖아?"

"……오소노가 여성 크리에이터에게 어떤 편견을 가지고 있던 내가 알 바 아니지만, 내가 아무 짝에도 쓸모없는 녀석을 곁에 둘 수 있을 거라고 생각해?"

"아카네, 너 아직도 그런 소리를 하는 거야? 아직도 이상적인 타입은 『크리에이터로서 자신에게 버금가는 남자』인 거야?"

"자극을 주고받을 수 없는 파트너 따위를 곁에 둘 이유가 없잖아?"

"……장벽이 너무 높네. 그리고 성격이 완전히 파탄 났어. 너는 진짜 못 말린다니깐."

"이렇게 문제가 많은 나와 마찬가지로 남자 없는 기간 ○년인 너희가 더 문제가 많을걸?"

그렇게 부편집장과 유명 작가의 대화라기보다 오타쿠 대학생들의 골 때리는 대화를 나누다보니, 아카네의 표정이 서서히 변해갔다.

"그래. 카스미 우타코는 또 새로운 시리즈를 내놓는 구나."

"드디어 네 쪽의 시나리오가 일단락됐잖아? 성가신 일거리를 더는 맡지 못하도록, 두 시리즈를 동시에 돌려서 꽉 틀어쥘 생각이야."

"……너, 그 녀석을 진짜로 아끼기는 하는 거야?"

"농담이야. 사실 이 기획을 내놓은 사람은 바로 시~ 양이야."

"흐음~, 카스미 선생님은 꽤나 의욕이 넘치는걸."

"내용도 꽤 강렬해. 카스미 우타코의 새로운 경지……랄까, 본질? 실은 맞는 레이블이 우리 쪽에 없어서 난처한 상황이야."

"그 녀석도 드디어 『이쪽』 세계에서 살아갈 각오를 굳힌 걸려나?"

"……그렇게 음흉하게 웃지 마. 한동안은 넘겨주지 않을 거야."

"알았어. 1년만 기다려줄게. 그 사이에 이전 시리즈를 애니메이션화해서 완결시켜."

"너는 역시 이 병원에 유폐되는 편이 나을 것 같아."

평소 좀처럼 보여주지 않는 즐거운 표정이 평온한 표정으로 변했다…….

"아~. 좀 피곤하네."

"오늘은 이런저런 일이 있었으니까 말이야……. 슬슬 좀 쉬어. 네가 잠들 때까지는 이곳에 있어줄게."

"으음, 그렇게 할까……."

아카네는 그런 평온한 표정을 지은 채, 평온한 어조로, 가볍게 눈을 감았다.

"뒷일을 부탁해, 오소노."

"내키지는 않지만 맡겨줘……. TAKI군과 함께 힘내볼게."

마치다가 말한 것처럼, 오늘은 정말 이런저런 일이 있었다.

이른 아침에 병원을 빠져나가려던 아카네를 잡은 건 안면이 있는 남자 고등학생이다.

그렇게 단순히 안면이 있을 뿐인 그가 아니나 다를까 그녀의 혼이 담긴(필즈 크로니클 XIII) 작품에 억지로 개입했다.

그리고 그녀는 그 『말도 안 되는 개입』을 아니나 다를까 받아들였다.

"기뻐해. 내가 남에게 고개를 숙인 건 10년 만이야."

"10년 전이면…… 상업 데뷔 때지?"

"아니, 첫 애니메이션화가 결정됐을 때야. 이제 빌어먹을 기억에 불과하지만 말이야."

"……아~."

"이번에야말로 나를 후회하게 만들지 마."

"남에게 떠맡긴 상태에서 이렇게 거만한 태도를 취하는 건 정말 존경스럽네."

"헛소리 하지 마."

그 결단의 이면에는 고심과 회한, 걱정 같은 부정적인 감정이 소용돌이치고 있다.

그래도, 상자에 마지막까지 남아있었던 희망은, 왠지 묘하게 반짝이고 있었다.

"……그럼 잘게, 오소노."

"잘 자, 아카네."

그래서 아카네는 아무런 걱정도 품지 않았다.

10년 만에 자신의 힘 『이외의 무언가』를 믿은 것이다.

"……."

"……."

"……."

"……."

"……."

"……아카네?"

"……."

"저기……."

"……."

"아카네? 아카네! 아카네엣!"

"……저기 말이야, 오소노. 아무리 방금 대화가 플래그스러웠다고 해도, 바로 죽어버릴 리가 없잖아."

"그, 그, 그렇기는 해애애애애애애~!"

제12.5.5화

Ota : CREATORS

"으음~."

9월 하순, 목요일 (지난 장의 다음날)

낮에는 늦더위가 기승을 부리는 것처럼 더웠지만 방과 후가 되자 꽤 기온이 내려가는, 여름에서 가을로 넘어가는 계절.

"으음~."

이제 서늘하다고 해도 과언이 아닌 저녁 즈음의 음악실에서 드문드문 들려오는 것은 어쿠스틱 기타의 선율과 소녀의 한숨 소리였다.

그렇다. 이 작품 안에서 기타나 음악실 같은 걸 언급하는 시점에 짐작이 되겠지만, 이곳은 도쿄에 인접한 어느 현의, 어느 여자 고등학교다.

그리고 또한 짐작이 되겠지만, 현재 이 장소에서 이 악기를 연주하고 있는 사람은…….

"수고했어~! 어라? 밋치~?"

"아~, 토키. 수고했어~."

그리고 지금 허둥지둥 음악실에 뛰어 들어온 소녀가 언급한 것처럼, 음악실 안에 있는 이는 밋치, 즉 효도 미치루.

현립 츠바키 여자 고등학교의 3학년이자, 게임 제작 서클 『blessing software』의 BGM 작곡과 주제가의 보컬 담당, 그리고 서클 대표인 토모야의 사촌인 소녀다.

"무슨 일 있어? 이렇게 일찌감치 오다니, 신기한 일도 다 있네. 항상 딴 애들의 튜닝과 몸 풀기가 끝났을 즈음에 나타나서 뻔뻔한 태도로 깔깔 웃어대서 우리를 짜증나게 하는 게 특기인 밋치잖아."

"……저기, 토키. 우리는 같은 밴드 맞지? 사랑해마지 않는 『icy tail』의 멤버 맞지?"

아, 맞다. 이쪽에서 빠른 말투로 독설을 내뱉고 있는 소녀는 방금 미치루가 소개한 걸즈 밴드 『icy tail』의 기타 담당인 히메카와 토키노.

미치루와 마찬가지로 츠바키 여자 고등학교의 3학년이며, 사이드 포니테일을 쉴 새 없이 흔들어대면서 조그마한 동물 같은 느낌을 자아내고 있는, 이 밴드의 마스코트 같은 존재다.

"그것보다 뭐하고 있는 거야? 작곡?"

토키노는 제멋대로 무사태평 아가씨의 반론을 받아주는 것 같은 무의미한 짓은 관두더니, 미치루의 눈앞에 있는 악보대를 쳐다보았다.

"뭐, 작곡을 하고 있다고도 할 수 있고, 안 하고 있다고도 할 수 있겠네."

"……즉, 잘 안 된다는 거구나."

그곳에 놓인 오선지의 곳곳에서 춤추고 있는 음표와 코멘트, 그리고 그것들보다 더 많은 양의 ×표시와 수정선이 이 싸움이 얼마나 격렬한지 알려주고 있었다.

"B멜로디까지는 어젯밤에 완성했는데 말이야~."

미치루는 항상 느긋하던 그녀답지 않게 나른한 목소리와 표정, 그리고 태도를 취하면서 거칠게 기타를 연주했다.

"그럼 코러스 부분에서 막힌 거야? 곡이? 아니면 가사가?"

"양쪽 다~."

"……곡과 가사 중에 하나를 먼저 완성하는 건 어때? 보통은 곡을 먼저 쓰잖아."

"그럴 수가 없단 말이야. 파앗~ 하고 머릿속에 떠오른 걸 부앙~ 하고 말로 자아내서, 짜잔~ 하고 만들어야만 좋은 곡이 완성된단 말이야."

"……밋치 이외에는 그런 식으로 곡을 만드는 사람을 본 적도 들은 적도 없어."

미치루의 어찌 보면 천재적인 작사 및 작곡 방식에 어이없어하면서도, 토키노는 그녀의 새빨간 악보 위에 적혀 있는 어떤 키워드에 반응했다.

"엔딩……?"

“응. 게임 쪽.”

“그건 일전에 완성하지 않았어?”

토키노의 기억에 따르면 레코딩까지 이미 마쳤다.

평소보다 작곡가 겸 보컬리스트의 지시가 세세했던 데다 엄격했고, 몇 번이나 재작업을 하는 과정에서 수도 없이 마음이 꺾일 뻔 했다. 그래도 자정을 넘기기 직전에 어찌어찌 완성한 주옥같은 노래였다.

“아~, 그건 내……가 아니라, 사촌 히로인의 엔딩 테마였어.”

“잠깐만 있어봐. 밋치 너, 방금 은근슬쩍 엄청 신경 쓰이는 말을 하지 않았어~?!”

토키노는 미치루가 입에 담은 짧은 말에서 그야말로 무한한 가능성을 느꼈다……. 물론, 나쁜 의미에서 말이다.

필살의 마구라도 만드는 것 같았던 그 지옥의 특훈이 실은 작곡가 겸 보컬리스트의(자신의 루트만 돋보이게 하기 위해) 사심에서 기인한 것은 아닐까 하는 생각이 들었던 것이다.

게다가 사촌 히로인의 곡이라면, 캐릭터 배치 상으로 볼 때 서브 중의 서브(이하 검열)인 캐릭터에게 그 정도 열정을 쏟아버린 것이다.

그 뿐만 아니라, 일부러 대상 캐릭터를『사촌 히로인』한 명으로 줄였다는 것은…….

“밋치, 설마…… 모든 히로인별로 엔딩 테마를 만들 생각이야?”

"어? 보통 그렇게 하지 않아?"

"보통 엔딩곡은 딱 한 곡뿐이거든?!"

그렇다. 이제부터 그 지옥을 몇 번이나 더 겪어야 한다는 사실을 가리키는 것이다.

"하지만 전에 참고삼아 빌려서 플레이했던 게임은 엔딩별로 다른 곡이 나오던데?"

"……누구한테, 뭘 빌렸어?"

그 순간, 토키노는 「누가 이딴 게임을 빌려줬던 거야?!」 하고 외치면서 게임 패키지를 들고 당사자에게 쳐들어가고 싶은 충동을 느꼈으나, 그것을 꾹 참으면서 차분한 목소리로 미치루에게 물었다.

하지만, 그 대답은…….

"아, 미안해. 그거 내가 빌려준 거야."

"에치카아아아아아아아아아아아아아~!"

미치루가 아니라, 방금 열린 음악실의 문 쪽에서 들려왔다.

※ ※ ※

"이야~, 밋치가 눈물 쏙 빼는 미소녀 게임을 빌려달라지 뭐야……."

눈곱만큼도 미안해하지 않으며 변명을 늘어놓고 있는 이

는『icy tail』의 베이스 담당, 미즈하라 에치카.

다른 두 사람과 마찬가지로 츠바키 여자 고등학교의 3학년이며, 주근깨 있는 얼굴에 쇼트커트 헤어 스타일을 지녔고, 항상 나른한 태도로 매사에 대충대충인 밴드의 개구쟁이다.

"저기, 나는 게임 쪽은 잘 모르잖아? 그러니까 한 번은 플레이해봐야겠다는 생각이 들었어~."

"밋치의 향상심은 칭찬받아 마땅하지만, 에치카가 고른 샘플은 문제가 엄청 많잖아!"

"이야~, 밋치가 그 빌어먹게 긴 게임을 전부 할 거라고는 생각도 못했거든……."

"저기, 에치카? 밋치 쪽 애들이 만들고 있는 건『마음이 맞는 친구들이 모여서 취미 삼아 만드는 동인 게임』이거든?『돈을 너무 들여서 제작비를 회수하지 못한 바람에 회사가 휘청한 골 때리는 상업 게임』이 아니거든?!"

참고로 이쯤에서 타이틀이 짐작되더라도, 그걸 입 밖으로 꺼내지 말고 각자의 마음속에 봉인해둬야 한다는 것만 이 자리에서 주장해둘까 한다.

"뭐, 토키~. 에치카한테 너무 화내지 마."

"이 녀석이 괜한 짓을 한 바람에 다들 지옥을 봤단 말이야. 그리고 실행범(밋치)이 주범(에치카)을 감싸봤자 피해자(나) 전혀 납득 못해!"

"하지만…… 그 덕분에 엄청 자극을 받았어. 우리 게임에 최고의 곡을 넣어줘야겠다는 맹세를 할 정도로 말이야."

"뭐?"

"밋치……?"

평소의 미치루를 아는 사람이라면 상상도 안 될 만큼 진지한 그 말을 듣고 놀란 토키노와 에치카는 항상 무사태평하던 에이스 보컬을 쳐다보았다.

"실은 에치카한테서 게임을 빌린 후에 토모한테서도 게임을 잔뜩 빌렸어. 그리고 게임을 잔뜩 플레이했고, 노래도 잔뜩 들었지."

"미, 밋치가?"

"미소녀게임을, 잔뜩……?"

"솔직히 말해 게임 그 자체를 즐긴 건지는 좀 미묘하지만…… 그래도, 노래는 엄청 재미있었어."

그러고 보니 미치루는 오늘 좀 이상…… 아니, 평소와 달랐다.

"게임의 노래는 꽤 자유로워……. 장면에 녹아들기만 한다면 곡조도, 템포도, 장르도 따지지 않아."

미치루는 매일같이 새로운 곡을 만들어 와서, 자신만 연주를 마스터해놓고, 쩔쩔매는 멤버들을 놀려대기만 했다.

"보컬 쪽도 록, 팝, 아이돌 스타일, 메탈 등 여러 장르에서 도전정신을 불태우고 있었어."

“맞아. 게임의 노래는 제약 같은 게 거의 없긴 해.”

“만든 사람의 취향이 진하게 드러나기는 하지만~.”

“뭐, 그 탓에 압박감을 느낀 나머지 벽에 부딪치고 말았지만.”

하지만, 지금은 미치루에게서 재능을 낭비하고 있는 모습을 찾아볼 수가 없었다.

미치루는 악보 위에서 발버둥치고, 기타의 현을 통해 발버둥치며, 또한 언어의 바다에서 발버둥치고 있었다.

“이렇게 재미있는 곡들과 승부를 해야 하잖아……. 그렇다면 하다못해 메인 히로인의 곡 정도는 지금까지 그 누구도 체험해본 적이 없는 최고의 노래여야 하지 않겠어……?”

“…….”

“…….”

사실 그 허들은 예전에 프로듀서(이오리)가 시나리오라이터(토모야)에게 제시했던 것과 완벽하게 똑같았다.

하지만 미치루는 누군가에게 지시나 요청을 받은 게 아니라, 자기 혼자만의 생각으로 같은 결론에 도달했다. 그래서 이렇게 고뇌에 빠져 있는 것이다.

그 점을 눈치챘다는 점이 바로 그녀가 천재라는 증거일까, 아니면…….

“밋치는 드디어 한 꺼풀 벗은 것 같네…….”

“……뭐?”

그 대답은 토키노도 에치카도 아니라 방금 열린 음악실의 문 쪽에서…….

"그러는 란코야말로 빨리 한 꺼풀 벗지 그래?"
"네가 가장 성적이 좋아서 리더를 맡고 있기는 하지만~. 솔직히 말해 네가 우리 중에서 제일 실력이 뒤쳐지잖아."
"……다들 너무해."

※ ※ ※

"그, 그럼 오늘은 고민에 빠진 밋치를 위해, 메인 히로인의 엔딩곡에 대해 다 같이 고민해보자!"
"그, 그거 정말 믿음직하네! 다들 잘 부탁해!"
"그러니까~, 란코도 구석에 틀어박혀 있지 말고 이쪽으로 와~."
"……됐어."
오자마자 기분이 나빠져서 음악실 구석에 틀어박혀 드럼 스틱이나 휘둘러 대고 있는 이는 『icy tail』의 드럼 담당, 모리오카 란코.
다른 세 사람과 마찬가지로 츠바키 여자 고등학교의 3학년이고, 긴 머리카락을 머리 뒤편으로 모아 묶었으며, 항상 차분한 태도로 (평소에는) 차분하게 살아가는, 이 밴드의

리더다.

“뭐, 뭐어, 우선 밋치의 고민을 공유해야겠네. 일단 지금 완성된 부분까지 들려줄래?”

“그것도 좋지만, 토키…… 우선 다 같이 이 시나리오를 읽어봐 주지 않을래?”

미치루는 그렇게 말하면서 가방에서 두꺼운 서류 다발을 꺼냈다.

“그거, 혹시 신작 게임의 시나리오야?”

“응. 메인 히로인인 카노 메구리 루트야.”

“……완성된 거야?”

게다가 그 다발은 구겨져 있을 뿐만 아니라 포스트잇도 잔뜩 붙어 있어서, 몇 번이나 읽고 또 읽었다는 걸 한 눈에 알 수 있었다.

“아직 중간까지인데…… 그래도, 좋은 곡을 만들 거면 일찌감치 착수하는 편이 좋을 것 같아서.”

예전 같았으면 상상도 안 될 만큼 『좋은 곡을, 좋은 게임을 만들고 싶다』는 미치루의 의지가 토키노와 에치카만이 아니라, 삐쳐 있던 란코조차도 진지한 표정으로 미치루의 곁에 모이게 했다.

아, 그리고 『icy tail』 전원이 모여서 나누는 대화에서는 평소와 마찬가지로 토키노→에치카→란코 순서로 발언이 이뤄진다는 점을 유의해줬으면 한다…….

"……."

"……."

"……."

"……다들, 어때?"

그리고 약 30분 후.

시나리오 다발은 세 사람 사이를 몇 번이나 오갔고, 미치루의 주제가 연주(도중까지)도 여러 번 들은 후…….

세 사람이 마치 짜기라도 한 것처럼 함께 한숨을 쉬었을 즈음, 미치루가 그녀들에게 감상을 물었다.

"그러니까……."

"그, 그게 말이지~."

"으, 으음~."

……하지만 세 사람의 반응은 뜻밖에도…….

아니, 실은 미치루의 예상대로, 영 미적지근했다.

"너희가 무슨 말을 하더라도 화 안 낼게. 토모와 나는 개의치 말고, 너희 생각을 솔직하게 말해줘."

"아, 알았어. 저기, 그러니까……."

"오글거리지?"

"……닭살 돋아."

"응! 등이 간지러워!"

"좋은 의미에서도, 나쁜 의미에서도~."

"……즉, 역시 오글거려."

그래도 미치루가 상냥한 목소리로 재촉하자, 세 사람은 이 시나리오를 읽고 느낀, 솔직한 『위화감』을 입에 담았다.

그리고 그녀들의 입에서 자연스럽게 흘러나온 귀중한 말을 들은 미치루는…….

"뭐어?!"

"역시 화내잖아~!"

"밋치는 자기가 한 말도 안 지킨다니깐~."

"……이럴 줄 알았어."

……일단, 아까 했던 약속을 깼다.

"뭐, 확실히 가슴이 콩닥거렸거든? 엄청 등이 간질간질하거든? 노래에서도, 시나리오에서도, 히로인이 엄청 귀엽게 표현됐거든?"

"하지만~, 이건 우리가 미소녀게임에 어느 정도 익숙하기 때문이야~."

"……이건 오타쿠가 아니면, 아니, 오타쿠 중에서도 미소녀 콘텐츠를 좋아하는 사람이 아니면 받아들이지 못할 거야."

그 후에도 날카로운 눈길로 마구 노려보고 있는 미치루 때문에 겁먹었으면서도, 세 사람은 솔직하게 이 시나리오, 그리고 미완성곡에 대한 비평을 입에 담았다.

"……그렇구나. 귀중한 의견을 줘서 고마워."

그리고 미치루 또한 최종적으로는 태도를 고치더니, 솔직하게 그 말에 귀를 기울였다.

그래도…….

"하지만 나는…… 『blessing software』는 이 방향으로 계속 나아갈 거야."

마지막 선을 넘으려…… 아니, 그 선을 넘어간 곳에서 되돌아오려 하지 않았다.

"뭐, 어차피 동인 게임이니까."

"애초에 『미소녀 콘텐츠를 좋아하는 사람』을 타깃으로 한 작품이잖아."

"……응. 타깃이 정해져 있으니까, 하고 싶은 대로 하면 돼."

그리고 세 사람 또한 미치루의 의지를 존중하려 했다.

하지만…….

"나는 이 노래를, 이 방향성인 채로, 모든 이들에게 전할 생각이야. 여자애도, 오타쿠가 아닌 사람도, 들으면 꼭 울게 되는 곡으로 만들고 싶어."

하지만 미치루는 그런 세 사람의 존중을 받아들이려 하지 않았다.

"으, 음~?"

"그건…… 힘들지 않을까?"

"……애초에, 그런 사람들한테는 전해지지 않아."

"응. 전해지지 않을지도 몰라.

우리 작품의 겉모습만 접하고, 작풍만 접하고, 평판만 접하고

손사래를 치며 거부할지도 몰라."

"거부해도 돼…….

하지만, 만약, 우연히 접하게 된다면, 각오 단단히 해…….

반드시, 반드시, 히로인에게 반하게 만들겠어.

내 곡으로, 울려주겠어……."

"어……."

"저기……."

"……밋치?"

이 자리에 있는 이는 평소의 느긋하게 기운차며 무사태평한 미치루가 아니었다.

"너희 말처럼 이 시나리오도 노래도 오글거릴지도 몰라…….

하지만, 그 오글거림은 오타쿠만이 느끼는 게 아냐.

순수하게, 평범하게, 누구에게 있어서나 오글거리는 것뿐이야.

지금 우리 마음속에 없는 추구하지 않는, 그리고 눈치채지 못한 것이라 그렇게 느껴지는 거야.

……그저, 그뿐이야."

방금까지만 해도, 고민하고, 헤매며, 남에게 의지했으면서…….

그렇게 약해빠진 처지인데도 불구하고, 어느새 강렬한 눈빛을 머금은 그녀가, 평소처럼 친구들 앞에 서더니…….

"이 시나리오는 오글거려. 이 노래는 그야말로 착각 덩어리야.

하지만 그런 것이 바로 드라마이자, 영화이자, 이야기인 거잖아?

그 기분 나쁜 느낌은 이게 오타쿠스러운 작품이라서 생겨나는 게 아냐.

그저, 남들과 다른 세계에 속해 있기 때문에, 착각에 빠져 있기 때문에 느껴지는 거야."

"그리고 그 세계에 말이야.

아무 것도 모른 채 흘러들어온 일반인의 마음을 두들기면 재미있을 것 같지 않아?

엉망진창으로 만든 다음, 억지로 마음속을 물들여버리면 쾌감이 느껴질 것 같지 않아?

라이브도 마찬가지 아냐?

폼 잡으면서 기타를 치고, 느끼한 가사를 노래하잖아.

그런 건, 라이브에 빠져들지 못하는 사람 입장에서 보자면 오글거리고 닭살 돋아서 끝까지 보지도 못해.

……하지만, 그런 녀석들을 끌어들여서 완전히 물들여버리는 게,

우리의 목표잖아?"

그리고 평소와 마찬가지로 주위 사람들을 휘말리게 하면서 폭주하기 시작했다.

그런 그녀는 마치…… 누군가, 아니, 어떤 인종(크리에이터) 같았다.

"너희 같은 오타쿠는 착각에 빠져 있어…….

아니, 반대야. 더욱 착각해.

더욱, 빠져들어.

한 걸음, 물러서지 말란 말이야……."

"빠져들어……?"

"이 게임에……?"

"……이 착각으로 점철된 하렘 세계에?"

세 사람은 미치루의 오글거리기 그지없는 부추김을 듣고 당황한 표정을 지었다.

확실히 『그녀들 개인적으로는』 이 게임 시나리오에 빠져드

는 것은 그렇게 어렵지 않다.

충분히 재미있고, 사실 즐겼으며, 모에 게임으로서는 손꼽힌다며 칭찬할 수도 있다.

하지만, 이 작품이 『자신이 오타쿠이기 때문에 받아들일 수 있다』는 착각을 버리고, 『오타쿠가 아니라도 누구나 받아들일 수 있다』고 믿는 것은 솔직히 어려웠다.

왜냐면, 이런 게임을 즐기는 자신들을 주위가 어떤 눈길로 쳐다보는지 알기 때문이다.

그런 당황과 쓴웃음, 그리고 약간의 혐오가 섞인 미묘한 시선을, 자신들처럼 열기를 띠게 만드는 것이 불가능하다는 사실을『알기』 때문이다.

"그래! 빠져드는 거야! 그리고 이 곡에 노래에 뭐가 부족한지 뭘 더해야 하는지 다 같이 생각해보자!"

"……."

"……."

"……."

방금까지 마구 부추겨놓고, 이번에는 갑자기 힘차게 고개를 숙이는 미치루를 본 세 사람은…….

아까보다도 더 당황한 표정을 지으면서, 서로의 당황스러운 표정을 보고 더 당황스러운 표정을 지었다.

하지만…….

"괜찮지 않아? 평소의 우리가 되는 것도 말이야……."

"밋치가 어울리지 못할 만큼, 우리의 본성을 드러내도 괜찮은 거지……?"

"……진짜로 뒷일은 책임 못 져."

"바라는 바야!"

하지만 지금은, 자신들의 에이스를…….

겨우 오타쿠에, 창작에 눈뜬 새내기 크리에이터를 믿으며 길러볼 수밖에 없다.

걸즈 밴드 『icy tail』이 진정한 오타쿠 밴드로서 날갯짓하기 위해서…….

※ ※ ※

"좋아! 이걸로 캐릭터 관계도 완성!"

"으음~, 이렇게 보니 장관이네……."

"……그럼 어디 풀어볼까?"

그 후, 세 사람의 행동은 신속하기 그지없었다.

우선 이야기의 전체적인 구조를 파악하기 위해, 각 히로인 루트의 대략적인 줄거리, 그리고 캐릭터의 관계도를 화이트보드에 그렸다.

원래 그녀들은 시나리오라이터(토모야)의 요청으로 각 히로인 루트를 이미 읽었고, 의견 진술까지 했기 때문에 여기까지는 신속하게 대처할 수 있었다.

그리고 다시 각 시나리오와 캐릭터의 관계성을 객관적으로 살펴보니…….

"인간관계가 정말 엉망진창이네."

"주인공과 히로인만이 아니라, 히로인들의 관계도 복잡하게 뒤엉켜있어……."

"……이거, 진짜로 모에 게임 맞아~?"

그 복잡한 인간관계를 본 그녀들은 우선 어이없다는 표정을 지었다.

"애초에 이 주인공이 좀 이상하지 않아?"

"이 게임, 메구리가 메인 맞지? 그런데 왜 선배 히로인과 소꿉친구 히로인이 시나리오에 얽혀드는 건데?"

"……그것도 후반부까지 말이야."

그리고 지조 없는 주인공을 쳐다보며 미묘한 표정을 지었다.

"이래서야 메인 히로인이 불쌍해……."

"뭐, 그만큼 필요 이상으로 러브러브하고 있으니 플러스마이너스 제로일지도 모르지만~."

"……그리고 후배 히로인과 사촌 히로인의 대접이 너무 나쁘지 않아?"

"으음~, 그래. 각 시나리오를 따로 떼어놓고 본다면 충분히 괜찮은데 말이지……."

"하지만 다른 세 사람의 복잡한 관계에는 거의 관여하지 않잖아."

"……그래서 그런지, 서브 히로인 느낌이 너무 강하네."

"히로인 레이스에 따라가지 못하고 있어……."

"이렇게 주인공(앗키)을 위해 헌신하고 있는데~."

"……힘내, 밋치."

"너희, 건물 뒤편으로 따라나와."

그리고 모 서브 히로인이 너무 불쌍해 눈물짓는…… 것은 용납되지 않았다.

※ ※ ※

그렇게, 『icy tail』 멤버들의 작곡……을 빙자한 시나리오 회의는 당연히 하교 시간이 되어도 끝나지 않았으며, 그 후에도 장소를 토키노 집으로 바꿔서 밤을 새면서 진행됐다(당연히 다음날 전원 지각함).

그리고 그런 네 사람의 뜨거운 의견 교환을 통해 내려진 결론은…….

『역시 지금 단계에서는 힘들어!』

『시나리오가 완성되지 않으면 못 만들어~.』

『……결말이 결정된 후에, 다시 모이지 않을래?』

『아, 역시 그래?』

……그런 어이없는 결론이었다.
하지만 네 사람의 공통 견해로서 아래의 의견이 나왔다는 점만큼은 의사록에 남겨두겠다.

『그래도, 메인 히로인과 주인공이 이대로 커플이 될 것 같지는 않지?』
『응. 분명 또 파란이 일어날 거야~. 이 주인공이라면 사고를 치고도 남아~.』
『……그런 다음, 진짜로 해피엔딩을 맞이할지도 몰라.』
『아, 역시 그렇게 생각해?』

그리고 후일담으로서…….
다음날, 미치루는 우타하에게서 전화 한 통을 받고 자신들의 통찰력이 현실을 따라잡았다는 승리감을…….

아니, 패배감을 맛봤다.

인터미션 1

■후시카와 언데드매거진 11월호 게재용 단편소설 기획서 (제1판)

20××/9/×× 카스미 우타코

■테마 : 달콤하지만, 약간 씁쓸한 러브스토리.

·고등학생 남녀의 풋풋한 사랑 이야기를 그린 청춘 순애 소설.

·비현실을 배제하고, 일상의 별것 아닌 이야기를 그려 중고생의 공감을 얻는다.

·연재 단편의 형태를 취하며, 각화의 등장인물과 장소 및 시간축을 느슨하게 잇는다.

·또한, 해피엔딩만이 아니라 비련과 실연 등의 씁쓸한 결말도 준비한다.

■등장인물(제1화용, 2화 이후는 별도) :

주인공 :

·여자, 고등학교 3학년.

·외교관의 딸이며, 교내에서도 유명한 상류층 아가씨.

·미술부 소속이며, 몇 번이나 전람회에서 입선한 에이스.

·교내 제일의 유명인이자, 모든 남학생이 동경하는 존재.

·과거에는 동급생(남자)의 오타쿠 동료이며, 자주 함께 그림을 그렸다.

·또한, 그 시절에는 병약했으며, 자주 쓰러져서 동급생에게 걱정을 끼쳤다.

·어떤 사건으로 그 동급생과 결렬했고, 현재에 이르렀다.

동급생 :

·남자, 고등학교 3학년.

·중산층에서 자란 평범한 소년.

·문예부의 유일한 부원이며, 교내에서도 괴짜 취급을 당하고 있다.

·그래도 성적은 우수하며, 꽤 잘 생겼기 때문에 팬이 있다.

·히로인과는 초등학교 입학식 때 만나서 지금까지 알고 지냈다.

·실은 히로인의 첫사랑 상대지만, 어느새 소원해졌다.

■스토리 개요(제1화, 2화 이후는 별도) :

·도쿄에 있는 꽤 유명한 사립 고등학교.

·그곳에 다니는 주인공은 상류층 아가씨로서 그리고 전람회에 몇 번이나 입상할 만큼 장래가 유망한 화가로서, 인근 고등학생 사이에서 유명했다.

·어느 날, 그런 주인공에게 남자 동급생이 말을 건다. 『할 이야기가 있으니 옥상으로 와줬으면 한다』하고 말한 그 남자를 차갑게 대했지만 결국, 주인공은 그가 말한 약속 장소로 향한다.

·그곳에 온 주인공에게, 그는『내 작품의 일러스트를 그려줬으면 한다』하고 의뢰한다.

듣자하니, 그는 한 달 후인 문화제에 맞춰, 문예부로서 소설을 출판할 예정이며, 그 표지 일러스트와 삽화를 주인공에게 의뢰하고 싶어 했다.

·주인공은 문화제에 낼 자신의 전시 작품 때문에 난색을 표했다. 하지만, 그가 쓴 소설을 읽고, 그 내용에 끌리기 시작한 그녀는, 결국 일러스트 의뢰를 받아들인다.

·그리고 그 후로 며칠 동안, 두 사람은 단둘이서 방과 후에 함께 시간을 보낸다.

처음에는 반발했지만, 두 사람은 같은 작품을 만들고, 같은 목표를 추구하면서, 서서히 그들 사이에서 동료의식이 싹튼다.

·그렇게 단둘만의 시간이 늘어나면서 과거, 만화를 좋아하던 두 사람이 각자가 그린 그림을 서로에게 보여주던 초등학생 시절을 두 사람은 떠올리게 된다.

·그리고 드디어, 문화제에 낼 소설이 완성되어갔고,

두 사람 사이의 거리가 점점 가까워졌을 때…….

그들은, 또 하나의 그리우면서도 괴로운 기억을 떠올리지 않을 수 없었다.

·가장 가까웠던 친구가, 가장 먼 타인으로 변해버린, 그 사건을…….

제12.6.5화

용호, 공멸, 동병상련

"그럼, 좋아……. 사와무라 양의 설득은 나한테 맡겨."
"……괜찮겠어요?"
"오늘 밤 안에 어떻게든 해볼게. 아니, 해내고야 말겠어."
"우타하 선배……."
"그러니까, 내일은, 평소처럼……."

"아니, 1년 만에, 팀을 재결성하는 거야."

※ ※ ※

『안녕, 사와무라 양.』
"……무슨 일이야? 카스미가오카 우타하."
12.5.5장의 몇 시간 후
9월 하순 목요일…… 곧 금요일로 날짜가 바뀌려 하는 심야.
마을을 내려다 볼 수 있는 언덕 위에 있는 호화로운 저택에서도 가장 야경이 잘 보이는 2층 발코니.

그곳의 난간에 팔을 얹은 채, 지금도 야경을 응시하며 핸드폰 너머의 상대를 향해 나른한 목소리로 그렇게 말한 이는 사와무라 스펜서 에리리.

사립 토요가사키 학원의 3학년이자, 게임 제작 서클 『blessing software』의 『전(前)』 캐릭터 디자인 및 원화 담당이며, 또한 이 방의 주인이다.

『그 후로 어떻게 되었는지 좀 신경이 쓰여서 말이야.』

"딱히 별일 없어……. 그 후로 한 시간도 지나지 않았잖아."

그리고 그런 에리리의 통화 상대는, 카스미가오카 우타하.

소오 대학 문학부 1학년이자, 게임 제작 서클 『blessing software』의 『전』 시나리오담당, 그리고 에리리의 『현』 파트너.

그렇다. 한때, 『같은 서클에서 함께 동인 게임을 만들었던 일러스트레이터와 시나리오라이터』는 현재 『같은 회사의 오퍼로 함께 상업 게임을 만들고 있는 일러스트레이터와 시나리오라이터』가 되었다…….

『실은 이야기를 좀 나누고 싶은데, 괜찮을까?』

"무슨 일인데? 아직 작업이 남았으니까, 짤막하게 해줄래?"

『그럴 수도 없어……. 일단 만나서 이야기하지 않을래?』

"만나자니……. 너, 지금 어디에 있는데?"

『당신한테서 수직거리로 5미터, 수평거리로 30미터 정도 떨어진 곳이야.』

"……아하."

에리리가 그 말을 듣고 야경을 보던 시선을 살며시 내리자, 그녀의 집 앞에서 손을 흔들고 있는 흑발 롱헤어 여성의 모습이 눈에 들어왔다.

※ ※ ※

"자, 커피 마셔……. 설탕과 밀크는 테이블에 있으니까 알아서 넣어."

"이렇게 늦은 시간에 찾아와서 미안해."

절경을 볼 수 있는 발코니와 연결되어 있는 에리리의 방.

요즘 들어 자주 방문했던 이 방 안에서, 우타하는 커피 잔을 양손으로 감싸듯이 쥔 채, 방 한편에 있는 소파에 앉았다.

"뭐~, 네가 제멋대로에 무례할 뿐만 아니라 뻔뻔한 건 어제오늘 일이 아니잖아~."

그리고 에리리 또한 이런 상황이 익숙하다는 듯이 자신의 책상으로 돌아가 손님을 내버려둔 채 데생용 연필을 놀렸다.

사실 이 두 사람은 요즘 들어 거의 매주 이 방에 모여서, 거의 대화를 나누지 않으며 함께 하룻밤을 보냈다.

하지만…….

"그런데, 결론은 나왔어?"

"……아직 한 시간도 지나지 않았다고 아까 말했잖아."

하지만 지금은 그런 충실한 창작시간을 만끽할 상황이 아니기에, 우타하는 바로 본론에 들어갔다.

……아마, 에리리는 언급하지 않기를 바라고 있을 본론에 말이다.

코사카 아카네가 기획하고, 우타하가 시나리오를, 에리리가 원화를 담당한, 게임 제작회사 마르즈의 간판 RPG 시리즈 최신작 『필즈 크로니클ＸⅢ』의 개발은 최근 며칠 만에 암초에 걸렸다.

그건 이 기획의 중심이자, 메인 크리에이터 두 사람과 마르즈 사이에서 다리 역할을 하던 코사카 아카네가 갑자기 뇌경색으로 쓰러지면서 그 연락 라인이 끊어지고 말았기 때문이다.

그래도 오늘 드디어 상대방과 정보를 공유할 라인이 복구되고, 개발 재개가 가능해진 것……까지는 좋았다.

하지만, 코사카 아카네를 대신해 마르즈 측과의 창구 역할을 맡은 공로자는 바로 두 사람이 예전에 소속되어 있었으며, 둘이 함께 탈퇴하면서 크나큰 대미지를 입혔던 서클의 대표(토모야)던 것이다.

"하지만, 마스터업[#1]까지 이제 남은 시간이 얼마 안 돼. 원

#1 마스터업 게임 제작에서 쓰이는 표현으로, 제작 중이던 게임이 완성되어 미디어 작성과 매뉴얼 및 패키지 등의 부속품 제조 단계에 접어들었다는 의미다.

래라면 그 자리에서 결단을 내렸어야만 할 거야."
"어떻게 내리냔 말이야! 그렇게 간단한 일이 아니잖아!"
거북함과 부담감, 미묘한 기쁨 그 외에도 다양한 감정이 뒤섞여 있는 파란만장한 전개를, 에리리의 감정은 받아들이지 못했다.

『나, 토모야가 곁에 있으면 그림을 그릴 수 없어.』
『토모야도, 나에게 그림을 강요하지 못해.』
『그러니 내가 서클에 남아있으면, 우리 둘 다 무너져버리고 말 거야.』

왜냐면, 에리리는 과거에 소꿉친구인 서클 대표에게 그런 결별의 메시지를 보냈던 것이다.
그러니 만약, 또 그에게 보호를 받게 된다면…….
그래도 예전처럼 그림을 그릴 수 있을지, 그녀 스스로도 알 수가 없었다.

"왜, 이렇게 되어 버린 걸까……."
"뭐, 코사카 아카네가 쓰러진 탓이야."
"그, 그래! 이렇게 된 건, 전부 그 여자가……."
"하지만 그녀를 궁지에 몰아넣은 건 우리일지도 몰라……."
그녀들의 보스(코사카 아카네)는, 클라이언트(마르즈)와의 회의 도중에 쓰러졌다고 한다.

그리고 바로 그때, 아니, 최근 의제는 대부분 폭주한 시나리오와, 퀄리티에 지나치게 집착하는 원화에 관한 것이었다고 제삼자를 통해 들었다.

아무래도 두 사람은 보스이자 최대의 적인 자의 손바닥에서 벗어나, 그 자의 심장…… 아니, 뇌에 비수를 꽂고 만 것 같았다.

"……그게 뭐 어쨌다는 거야?"

"……뭐, 우리가 알 바는 아니네."

뭐, 두 사람 다 그럴 생각도, 자각도 없었지만 말이다.

아니, 그것은 멋대로 그녀들을 지키려 한 아카네의 자업자득이라고 생각하고 있었다.

"하지만 사와무라 양……. 설령 다른 사람의 책임일지라도, 그게 우리가 이대로 이 일을 내팽개칠 이유가 된다고 생각해?"

"뭐……."

"지금은 이제부터 어떻게 할지를 우리끼리 결정해야만 하는 시기가 아닐까?"

"그건……."

"당신, 최고가 되는 게 목적 아니었어?"

"아냐! 내 목적은 코사카 아카네를 쓰러뜨리는 거였어!"

"그럼 그 목적은 달성된 거야? 이런 식으로 쓰러뜨려도

만족할 수 있어?"

"……."

확실히 에리리의 목적은 뜻하지 않은 형태로 달성됐다.

하지만, 그것은 그녀가 추구하던 승리조건과는 너무나도 달랐다.

두 사람이 목표로 삼은 것은, 『필즈 크로니클XIII』을 갓겜으로 만드는 것이다.

그 성과를 통해, 코사카 아카네에게 자신들을 인정하게 하는 것이다.

힘으로, 그녀의 비호와 압력에서 벗어나는 것이다.

하지만 게임이 완성되지 않았으니, 그 싸움은 아직 결판이 나지 않았다…….

※ ※ ※

자정이 지나, 금요일 심야.

"……저기, 사와무라 양."

"아직 결정을 못했어."

"알아……."

30분 만에 우타하가 던진 말을, 에리리는 우유부단이라는 벽으로 튕겨냈다.

그것은 일부 인간들만 아는(하지만 동료들은 누구나 알고 있는) 에리리의 재능과는 완전히 동떨어진 겁쟁이에, 맷집도 없고, 그렇기에 고집스러운 성격의 산물…… 아니, 암흑의 유산이다.

"잡담 좀 나누자는 거야. 나, 지금 한가하니까 이야기 상대가 되어줘."

"그렇게 한가하면 자거나 돌아가란 말이야."

"그런 소리 하지 마. 응?"

"어쩔 수 없네……."

뭐가 어쩔 수 없다는 건지…… 같은 생각이 들지 않는 것은 아니다.

하지만 우타하는 평소보다 차분한 어조로, 에리리의 마음을 누그러뜨리려는 듯이, 상냥하고, 가볍게, 말을 걸었다.

"실은 말이지. 나, 다음 달부터 후시카와에서 신작을 내기로 했어."

"이렇게 바쁜 시기에 말이야? ……『순정 헥토파스칼』도 아직 완결 안 됐잖아?"

"그래도 이쪽 일은 곧 끝나니까…… 다른 일거리가 들어오기 전에 한 작품 더 쓰자면서 마치다 씨가 고개까지 숙이니 어쩔 수가 없었어."

"그 부편집장, 너를 놔주지 않으려고 작정했나 보네."

"뭐, 지금까지 길러준 은혜도 있으니까 말이야……."

에리리가 대화에 계속 임하고 있다는 사실에 안도하면서도…….

우타하는 말라비틀어진 목을 침으로 적신 후, 신중하게 대화를 이어나갔다.

"그리고, 소설풍의 재미있는 기획이 생각났거든……. 그러니 이 기회를 놓치는 것도 좀 그렇다고 판단했어."

왜냐면, 지금부터 하는 이야기는 사실 잡담이 아닌 것이다.

"……그렇다면 카스미 우타코의 취향이 완전히 드러나는 기획인 거야?"

"두 작품을 연속으로 성공시켰으니까, NO라고 말하지는 않을 거야."

"카스미 우타코의 취향이 완전히 드러나는 기획이면 재미있겠네. 완성되면 샘플을 줘. 물론 사인도 해서 말이야."

우타하가 기대했던 것보다도, 대화는 훨씬 스무스하게 이어지고 있었다.

우타하가 예상했던 것보다도, 에리리는『카스미 우타코의 신작』에 흥미를 가지고 있었다.

"그렇게 관심이 있다면…… 내가 가지고 온 기획서를 한번 읽어보지 않을래?"

……우타하는 이런 반응을 절묘하게 이용하며, 조금씩, 조금씩, 주위에 지뢰를 깔았다.

"에이~, 됐어."

"너무 그러지 마. 좀 막힌 부분도 있으니까, 의견을 듣고 싶어."

"하지만 나는 네가 혼자서 고민해서, 겨우겨우 완성시킨, 순도 100퍼센트 카스미 우타코 테이스트를 읽고 싶단 말이야."

어디선가 들은 적이 있는 듯한 그 거부의 말을 듣고, 눈물이 왈칵 샘솟을 뻔한 우타코는 쓴웃음을 지었지만…….

"괜찮아……. 설령 내용을 알게 되더라도, 완성품을 충분히 즐길 수 있게 만들 거야."

"흐음~, 너답지 않게 자신감이 넘치네."

"뭐, 히트시킬 자신은 없지만…… 적어도, 카스미 우타코 작품의 팬이라면 절대 후회하지 않을 거야."

그런데도, 우타하는 태연을 가장하면서 가방 안에 있던 A4용지 두 장을 꺼냈다.

그리고 손의 떨림을 필사적으로 참더니, 최대한 표정을 지우면서, 에리리에게 그것을 건넸다.

"어때? 사와무라 양."

"……알았어."

에리리가 투덜대면서도, 흥분을 감추지 못하는 듯한 표정으로 그 종이를 건네받은 순간…….

우타하는 그녀와 대조적인 심정으로, 그, 운명의 종이에서 손을 뗐다.

그것도 그럴 것이, 그 기획서는…….

1년 넘게 걸려서 겨우겨우 쌓았고, 반 년 동안 계속 길러온 우정을…….

순식간에, 흔적도 남지 않을 만큼 박살낼지도 모르는 것이다.

※ ※ ※

"이번에는, 지금까지와 취지를 바꿔서, 단편집이야."

"……."

그 기획서의 양은 그렇게 많지 않았다.

"그리고, 아직 1화의 플롯만 완성됐어."

"……."

두 장의 종이에는 테마, 등장인물(그것도 두 명 뿐), 그리고 스토리 개요(게다가 단편 1화 분량만)만이 간결하게 적혀 있었다.

"하지만 후시카와 언데드매거진에서 격월 연재하기로 했고, 어느 정도 분량이 모이면 단행본화하기로 약속했어."

"……윽."

그러니 우타하가 이렇게 말을 늘어놓기 전에, 에리리는 전부 다 읽었을 것이다.

"그리고, 주인공을 여자애로 해봤어. 라이트노벨로서는 꽤 모험이고, 어쩌면 판타스틱 문고와는 다른 레이블로 발간될지도…….”

“……뭐야.”

“……왜 그래? 사와무라 양.”

아니, 실제로는, 순식간에 다 읽었다.

하지만 그 후, 에리리는 기나긴 침묵에 잠긴 채 덜덜 떨기만 했다.

“이게, 대체 뭐냔 말이야…….”

“그러니까, 신작 소설의, 제1화 플롯…….”

“그런 걸 묻는 게 아니라는 건 너도 알잖아아아아아아~!”

그러니, 폭발하는데 걸린 시간은, 찰나에 불과했다.

그리고 폭발해버리고 나면, 이제 멈출 수 없다.

“너, 너, 너…… 너, 나를 구경거리로 만들려는 거야?!”

“이제 와서 무슨 소리를 하는 거야? 우리는 이미 구경거리가 되었잖아. ……윤리 군의 시나리오에서 말이야.”

“그런 문제가 아냐아아아아아~!”

우타하가 한 말은 분명 앞뒤가 맞았다.

하지만, 납득하는 것은 무리였다.

왜냐하면…….

『달콤하지만, 약간 씁쓸한 러브스토리.』

『비련과 실연 등의 씁쓸한 결말도 준비한다.』

이것이 뭘 의미하는지, 『당사자』에게 처절할 정도로 명확하게 전해졌다.

해피엔딩이 약속되어 있는 연애 게임과 다른 것이다.

그리고 저자는 데뷔작에서 메인 히로인과 주인공을 갈라놓았던, 비련의 전도사, 카스미 우타코이니까…….

“왜 이걸 나한테 보여준 거야? 다 쓸 때까지 숨기지 않은 건데……?”

그래도, 에리리는 창작자니까…….

그러니까, 우타하가 무엇을 이야깃거리로 쓰든, 누구를 모델로 삼든, 그것은 『정신 나간 크리에이터의 폭주』로서 이해하고 만다.

하지만, 일부러 그것을 사전에 보여주는 악취미한 행동만큼은 납득이 되지 않았다.

“실은 스토리 개요의 이 뒷부분부터 잘 써지지 않아서 말이야…….”

“너, 너, 설마…….”

“그러니까, 당신의의 『배배 꼬인 옛날이야기』를 듣고 싶어…….

당신이 이 9년 동안, 그를 어떻게 생각해왔든, 내가 알 바

아냐.

토모야 군이 9년 동안, 당신을 어떻게 생각했든, 그것도 내가 알 바 아냐.

그저, 당신 자신의 그때의, 9년 전의 기억만이라도 좋아.

9년 전…… 당신이 어떤 식으로, 어떤 심정으로,

어떻게 그를 버렸는지 알고 싶어……."

"카, 카스미, 카, 카…… 우타하아아아아아아아아아~~~!"

"윽……."

역시, 이때의 절규에는…….

그리고 이때의 따귀에는, 한줌의 애정도 담겨 있지 않았다.

그저, 순수한 증오와, 격렬한 분노에 휘말린 채…….

에리리는 눈물조차 흘리지 않으며, 어금니가 부러질 정도로 세게 이를 악물었다.

"네가 하는 짓은…… 코사카 아카네나 다름없어……."

"그래 말해주니…… 영광이야, 사와무라 양."

점점 볼이 새빨개지며 부풀어 오르는데도, 우타하는 에리리를 향해 처절한 미소를 지었다.

그렇다. 마치, 방금, 에리리가 언급했던, 몬스터(코사카 아카네)처럼…….

"그런, 그런…… 그런 걸 들어봤자, 뭐가 어떻게 되는 데에에에에에~!"

에리리의 입에서 터져 나온 그 처절한 절규는, 알아들을 수조차 없었다.

하지만, 그 표정과 울림만으로도, 충분하게 전해져왔다.

"더욱, 더욱, 높은 곳으로 올라서고 싶어……. 껍질을 깨고 싶어……."

하지만 그래도…….

그런 에리리의 박력을 보고도, 우타하는 물러서지 않았다.

"더욱, 더욱, 애증이 뒤섞인…… 『순정 헥토파스칼』과는 전혀 다른, 『사랑에 빠진 메트로놈』보다도 훨씬 깊이 있는, 순애에 도전해보고 싶어졌어."

"그렇다고, 그렇다고…… 왜, 나의…… 나와, 토모야의……."

"당신들의, 배배 꼬인 관계는…… 『대박』을 칠거라고 생각해."

"아아아아아아아아아앗!"

"으……."

아까 오른쪽 볼을 때렸기 때문, 은 아니겠지만…….

에리리가 주로 쓰는 팔인 오른팔로 날린 따귀가, 우타하의 왼쪽 볼에 작렬했다.

하지만…….

"이렇게 화를 내니…… 부탁하기 좀 그러네."

"뭐, 뭘……."

"표지 일러스트를, 당신한테 부탁할 생각이었거든."

"으~~~."

카스미가오카 우타하는…… 아니, 카스미 우타코는 또 오

른쪽 볼을 내밀었다.

"너, 이상해…… 제정신이 아냐……."

"하지만 우리 둘에게 있어서는 절호의 타이밍이잖아? 『필즈 크로니클XIII』이 나온 직후니까 말이야. 상업적으로도, 이건 승리가 약속된 콤비야."

"닥쳐! 헛소리 하지 마! ㅇ어버려!"

"그래. 바로 그 저주가 듣고 싶었어……."

우타하는 그렇게 말하면서 혀를 내밀더니, 입가에 묻은 피를 핥았다.

그리고 그녀는 또 왼쪽 볼을 내밀었다.

"9년 전, 당신은 누구에게 그런 말을 했지?
당신들을 괴롭힌 동급생?
아니면, 당신들을 구해주지 않았던 선생님?
아니면, 아니면…… 혹시……."

"안 했어! 한 적 없어! 아무 말도 안 했단 말이야!"

"당신이 그를 밀쳐냈을 때, 그는 어떤 표정을 짓고 있었어?
그는, 지금 당신이 입에 담은 것과 비슷한 말을 하진 않았어?
당신들은 당시에 초등학생이었어. 그런 말을 하지 않았으면 오히려 더 이상하잖아?

순수하고, 제멋대로이며, 잔혹한 어린애였잖아?"

"안 했다고 말하잖아!"

"그를, 진심으로 미워하게 된 순간은 없었어?

그를, 진심으로 밉다고 느낀 순간은 없었어?

그 순간, 그가 어떤 상처를 입었을지 상상해본 적 있어?

그게, 그에게 어떤 영향을 끼쳤을지 상상해본 적 있어?

그때, 당신이 어떤 상처를 입었는지 가르쳐주지 않겠어?

그게, 당신에게 어떤 영향을 끼쳤는지 가르쳐주지 않겠어?

내가, 두 사람의 심정을 상상할 수 있도록, 상세하게 가르쳐줘.

내가, 두 사람의 당시 심정을 글로 쓸 수 있도록 가르쳐줘."

"헛소리 마! 헛소리 마! 헛소리 마아앗!"

그것은 잡담도 설득도 아닌…… 취재였다.

작가 카스미 우타코의, 취재당하는 입장의 마음을 전혀 헤아리지 않는 어리석고, 거만하며, 또한 순수한 인터뷰였다.

더는, 멈출 수 없었다.

아무리 주저한들, 고뇌한들, 절망한들…….
그래도 우타하는, 이 길을…….
쭉, 쭉, 고민한 끝에 세운 작전대로, 나아갈 수밖에 없었다.

"전부, 토해버려, 사와무라 양…….
그리고 앞으로, 나아가는 거야."

왜냐면, 그녀는 약속한 것이다.
수제자이자, 후배인 남자애와 약속을 하고 만 것이다.
에리리의 설득과, 팀의 재결성을…….
즉…….

"그리고…… 포기해."
"그딴 말을 너 따위에게 듣고 싶지 않아아아아아아아~!"

모든 것을 끝내버리기로 말이다.

※ ※ ※

"으, 흐, 흑 우에에에엥……."
"……이제 그만 울음을 그쳐."
그리고 30분이 지났다.

하지만 상황은 전혀 변하지 않았으며, 방 안에서는 에리리의 울음소리만이 계속 울려 퍼졌다.

"훌쩍, 우, 우에엥…… 어, 어째서, 어째서……."

"응?"

"어째서, 나를 괴로삐는 껀데……. 어, 어때서, 이러케 심안 찟을 하는 껀데, 네, 네까…… 왜 이러는 껀지, 하나또, 모르게써."

그리고 오래간만에 에리리의 입에서 나온 말은 알아듣기 힘들 정도의 코맹맹이 소리였다.

또한, 원망의 마음이 확연하게 어린 목소리이기도 했다.

하지만, 이렇게 저주를 퍼붓고 있으면서도…….

에리리는 우타하를 이 방에서, 이 집에서 쫓아내지 않았다.

그리고 이렇게 심한 말을 듣고도…….

우타하는 에리리를 내팽개치지 않고 그녀의 곁에 있었다.

"모, 모처럼…… 친해졌는데…… 다시, 이어졌는데……."

"확실히 이어졌어……. 소꿉친구라는 관계가, 작가와 팬이라는 관계가, 병약한 여자애와 걱정 많은 남자애라는 관계가 말이야."

그 중 딱 하나 빠져 있는 관계성이 있다는 사실을 두 사람은 말로 언급하지 않고도 공유했다.

그래서 에리리는 우타하를 노려보았고, 우타하는 에리리의 시선을 무시했다.

"그런데, 어째서, 어째서……."

"당신과 그가 그렇게 되지 못한 이유는 바로 거기에 있다고 생각했어."

지시어로 점철되어 있고, 숨겨진 워드마저 있으며, 수수께끼투성이인 그 문답을…….

두 사람은 역시 처절할 만큼 공유하며 서로를 상처 입히고 있었다.

"그래서, 알고 싶어진 거야."

"안다고, 뭐가 달라지긴 하는 거야?"

"아까부터 내가 말했잖아? 어리석은 남녀의 희극으로 승화시켜주자고 생각한 거야."

"나, 나는…… 나는 아무 잘못도 하지 않았어!"

"너의 그 멘탈은 경의를 표할 정도로 대단하고, 크리에이터로서 중요한 자질이며 소중하게 여겨주고 싶은데다 개인적으로 좋아하지만……."

"하지만……?"

"잘못 투성이야."

"윽……."

그렇게 서로가 멋대로 어이없이 말도 안 되는 논리를 내놓았다.

한쪽은, 자신을 포함해 아무도 잘못하지 않았다고 주장했다.

한쪽은, 자신을 포함해 모두가 잘못했다고 주장했다.

180도 다른 방향으로 나아가는 평행선은 두 사람을 점점 멀어지게 했다.

"아무리 당신이 잘못하지 않았다고 믿어봤자, 실제로 그는 주박에 사로잡히고 말았어……. 아무리 손을 닿을 것 같더라도, 아무리 자신의 마음이 전해질 것 같더라도, 언젠가 또 배신당할지도 모른다는 그런 겁쟁이 같은 주박에 말이야."

"그게 뭐야…… 그게, 뭐냔 말이야……."

"다가가면 다가갈수록, 다가가려고 하면 할수록, 다가가고 싶다고 생각하면 할수록, 보답 받지 못했을 때의…… 아니, 정반대 방향으로 보답 받았을 때의 상처는, 깊고, 아프며, 괴롭잖아?"

"으……."

"두 번 다시, 다가가고 싶지 않을 정도로 말이야."

"그게, 그게…… 전부, 내가 한 짓이라는 거야?"

"9년 전, 너희는 누구보다 가까웠어.

세카이계[#2]의 주인공과 히로인처럼,

#2 세카이계(セカイ系) 스토리 전개에서 주인공인 평범한 소년소녀의 심정, 행동, 타인과의 관계가 전 세계의 운명을 좌우하는 서브컬처 작품.

단둘만의 세계로 도망칠 수도 있었어.
……하지만 당신은 그러지 않았지."

"아냐! 도망치지 않은 건 그 녀석이야!
남들이 잊을 때까지, 조용히 있으면 됐단 말이야!
그런데 그 녀석은 일을 더욱 크게 만들기만……."

"그는, 정정당당하게 당신과 친구이자 오타쿠인 것을
남들에게 인정하게 만들려 했어.
당신과 함께 있을 장소를 지키려 한 거야."

"그런 건 남들 몰래 하면 되잖아.
왜 남들에게 인정받아야만 하는 건데?
왜 선생님과 다른 애들에게 우리 취미를 알려줘야만 하는 건데?
숨긴다고 딱히 문제가 되는 것도 아니잖아.
평범하게 남들과 풍파를 일으키지 않으면서
몰래 우리만의 세계에 틀어박히면 되잖아."

"그가 그러려고 하지 않은 것은 아마 당신을 위해서야.
그리고 자기 자신을 위해서였겠지.
당신과 친한 자신을, 세간에서 인정하게 만들려고 했던

거야."

"남들에게 인정받을 필요는 없었어.
나는 그런 걸 바란 적 없어.
그건, 그 녀석의 자기만족일 뿐이야."

"그런 당신의 태도를 본 그는 이렇게 생각했을 거야.
……『나와 같이 있는 게 그렇게 부끄러운 거냐』 하고 말이지."

"그렇지 않아!
그 녀석은 아무 것도 몰라!"

"그리고 당신도 모르는 건 마찬가지야…….
그래서 당신들의 관계는 망가진 거야."

※ ※ ※

"당신들은 초등학교 3학년이었어……. 아직 배려심을 제대로 기르지 못한 어린애와 어린애가 『무슨 일이 있어도 우리는 친구』 같은 아름다운 마음을 계속 품는 건 무리야."

"품고 있었어……. 계속 품고 있었단 말이야."

서로의 주장이 점점 멀어지면서, 마음의 거리 또한 멀어졌다.

그래도 어찌된 건지, 물리적인 거리만은 가까워진 것이다.

"당시의 당신도 당시의 토모야 군도 언제부터인가 진짜로 상대를 증오하며 미워하게 되었을 거야."

"그렇지 않아!"

두 사람은 벽에 등을 대면서, 서로의 어깨와 어깨 사이의 거리를 제로로 만들었다.

"확실히 그건 다른 사람의 탓일지도 몰라. 아니, 주위가 간섭하지 않았다면, 두 사람은 계속 친구 이상의 관계를 유지할 수 있었을 거야……. 하지만 두 사람은 결국 그런 마음을 품고 말았어."

"멋대로 단정 짓지 마……."

"그게, 그것만이 유일한 진실일 뿐이야."

"멋대로 단정 짓지 말란 말이야……."

우타하의 주장은 에리리의 말처럼 제멋대로 단정 지은 것들이다.

누가 듣기에도 정의가 존재하지 않았다.

"그래서 당신들은 엇갈리고 만 거야. 자신들이 잘못했다는 것을 인정하지 않았기 때문에, 잘못에 대해 이야기를 하지 않았어."

"잘못을 하지 않았는데, 왜 인정을 하느냐 말이야."

하지만 에리리의 부정 또한 우타하의 주장을 부정하기에는 근거가 부족했다.

누가 듣더라도, 설득력이 없었다.

"그는 상대를 배려할 줄 모르는 어린 시절에 당신과 만났기 때문에…… 그래서 잘 되지 못했어."

"그러는 너하고도…… 아니, 너하고는 잘 되지 않았어."

"그렇게 겁쟁이인 채 고등학생이 되었을 때, 나와 만났기 때문이야……."

"그렇지 않아. 그렇게 뭐든 남 탓을 하는 음험 얀데레 커뮤니케이션 장애인 네 성격 때문이야."

"……그럴지도, 몰라."

그런 부질없는 말을 통한 공중전에 지친 건지, 우타하는 자학적인 미소를 지으며…….

"나도, 당신도…… 카토 양과는 달랐던 거야."

"그게 무슨 소리야……. 마치, 메구미로 결정됐다는 듯한 발언이네."

"이미…… 결정됐어."

방금, 에리리에게 말했던 『포기해』를 스스로 실천했다.

"……네가 무슨 소리를 하는 건지 전혀 모르겠어."

"……그래?"

"그렇잖아? 메구미는, 메구미 는…… 우리와 다르게, 평범하고, 귀엽고, 여성스러운 애란 말이야……."

"그렇지도, 몰라."

"그러니까, 그러니까, 메구미가…… 그런 하나도 평범하지 않고, 짜증나는 오타쿠 따위를 선택할 리가……."

"그래……. 나도 카토 양이 뭐라고 대답할지는 모르겠어."

"그, 그렇지? 그렇다면……."

"하지만, 그는 이미 결심을 한 것 같아."

우타하는 그렇게 중얼거리더니, 괴로우면서도 개운한 듯한 표정을 지으면서, 이 집의 높은 천장을 올려다보았다.

그리고 오른손으로 에리리의 머리를 가볍게 토닥였다.

마치 길을 잃은 어린아이를 달래듯이 말이다.

"왜…… 왜, 그런 소리를, 하는 거야."

그런 우타하의 손과 그녀의 말을 떨쳐내려는 듯이, 에리리는 크게 고개를 저으면서 『칭얼거렸다』.

하지만 우타하는 그런 에리리가 사랑스럽다는 듯이 계속 보듬어줬다.

그녀에게 있어 신랄한 사실을 알려주면서도, 그 말투는 그녀를 위로하듯 상냥했다.

"그렇잖아? 토모야 군은 이쪽으로 왔어…….

1년 전 일 때문에 두 번 다시 폭주하지 않겠다고 맹세했을 텐데…….

그런데, 당신과 나를 위해 또 이런 짓을 벌였어.

서클을 내팽개치고 카토 양을 배신한 거야.”

“그, 그건, 그렇지만…….
그 녀석에게 있어, 너와 내가 그만큼 소중하다는 증거…….”

“그럴지도 몰라.
하지만, 그는 분명 이런 생각도 했을 거야.
……『카토라면 어떻게든 될지도 몰라』 하고 말이야…….”

“나는…… 나, 나, 나는…….”
“물론, 당신(나)이라도 어떻게든 됐을 거야.”
우타하는 에리리의 어깨를 꼭 끌어안았다.
얼어붙은 것처럼 떨리고 있는 그 조그마한 몸을, 따뜻하게 해주려는 것처럼…….
“하지만 그가 어떻게든 될 거라고 믿을 수 있는 건, 카토 양 뿐이었어.”
“어째서…… 어째서…….”
그 의문에 대한 답은, 아까부터 수도 없이 들었을 텐데도…….
그래도, 에리리는 아직 덜 울었다는 것처럼 눈물을 하염없이 흘리기 시작했다.

※ ※ ※

"10년이야. 그 녀석과 만나고, 벌써 10년이나 흘렀단 말이야……."

"정확하게는 11년이겠지만 말이야."

"그런데, 어째서? 어째서? 어째서?"

"글, 쎄……."

"10년이나 알고 지내다 보면 마음에 안 드는 부분도 분명 발견할 거야. 밉다는 생각이 들 때도 분명 있을 거란 말이야."

"뭐, 그럴 거야……."

"그런 한때의 실수가 치명상이 된다면, 오랫동안 알고 지낸 사람이 훨씬 불리한 거잖아."

"어디까지나 실패할 경우는 말이지."

"그런 걸 어떻게 납득 하냔 말이야……."

그런 한때의 실수를 5년 넘게 질질 끌었다고 하는 자업자득은 까맣게 무시한 채, 에리리는 불합리한 세상을 저주했다.

하지만 그녀의 진심에서 우러난 그 어리광이, 우타하는 사랑스럽게 느껴졌다.

"게다가, 게다가, 그럼 메구미는…… 아직 알고 지낸지 1년밖에 안 되었으니까 앞으로 싫어하게 될 가능성도 있는 거잖아."

"뭐, 그럴지도 몰라."

"그럼 어떻게 되는 건데……?"

"물론 헤어질 수도 있을 거야. 그리고 아까도 말했다시피 카토 양이 오케이할지 말지는 나도 몰라."

"그렇게, 그렇게 맛있는 부분만 골라 먹다, 질리면 간단히 버린다니 납득 못해……."

"……뭐, 카토 양이 맛있는 부분만 골라 먹는 것처럼 보이지는 않지만 말이야. 그녀가 저렇게 문제 많은 남자애와 왜 어울려주는 건지도 정말 모르겠거든."

"그렇게 생각한다면 너는 왜 그 녀석을……."

"뻔하잖아……."

그리고 우타하는…….

불합리에 저항하는 것을 관둔 『자칭』 이해심 많은 여자는…….

"당신과 마찬가지로 문제가 많기 때문이야."

그래도 자신의 자업자득을 자랑스러워하며 그렇게 말했다.

"뭐, 걱정하지 마. 사와무라 양. 만약 그의 곁에 계속 있고 싶다면…… 그 소망만은 이뤄질 거야."

"그런 최소한의 배려 따위는 아무런 의미도 없어."

"그래……."

"……그런데 정말이야? 진짜로 앞으로도 거리를 두지 않는 거야?"

"물론이지……. 왜냐면 그는 카시와기 에리의 광팬이거든."

에리리가 눈 깜짝할 사이에 태도를 바꾸면서도 겁먹은 듯한 어조로 그렇게 말하자, 우타하는 무심코 쓴웃음을 지으면서…….

"그러니까 우리가 거부하지 않는 한, 앞으로도 거리가 멀어지지는 않을 거야. 내가 보장할게."

우타하는 그 말에, 경험자로서의 단호함과 묵직함 그리고 약간의 슬픔을 담았다.

『축하해, 사와무라 양. 당신은 드디어 되었어.
나와 마찬가지로…….
그의, 숭배 대상이…….
그가, 여자로서 볼 수 없는 여자가 된 거야.』

그리고 딱 하나 결코 말할 수 없는 공감도…….

그것은 플롯에 대한 의견교환도 취재도 아니지만…….
슬픔에 찬 저주와 꼴사나운 허세에 불과하지만…….
그래도 그것은 두 사람에게 있어 꼭 필요한 『의식』이었다.

※ ※ ※

“저기, 카스미가오카 우타하…….”

“왜? 사와무라 스펜서 에리리.”

“존칭 붙여.”

“풀 네임으로 부른 건 괜찮나 보네.”

해가 떴다.

창문을 통해 스며들어오는 아침햇살을 쬐면서 슬슬 한계에 도달한 에리리는 바닥에 쓰러지더니, 거의 9할 가량 눈을 감았다.

“우리, 어젯밤에…… 아무 일도 없었던 거야.”

“당신이 그러길 원한다면 그렇게 해줄게.”

……우타하의 무릎을 벤 채 말이다.

“내일…… 아니, 다음에 눈을 떴을 때 우리는 마스터업 직전의 지옥 한가운데이고…….”

“그건 어찌할 수 없는 사실이지.”

“쓰러져버린 무능 디렉터를 대신하게 된 쓸모없는 디렉터와 예전처럼 함께 게임을 만드는 거야…….”

“평소처럼…… 아니, 옛날처럼 말이야.”

“응…….”

“알았어……. 그럼, 잠시 눈 좀 붙여.”

"저기, 카스…… 우타하."

"나는 풀 네임으로 불러도 괜찮아."

"오늘 내가 한 짓…… 용서해줘."

"무릎을 꿇고 그런 소리를 해야 할 사람은 바로 나라고 생각하는데 말이야."

"하, 하지만, 너는 친구가 없어도 괜찮잖아……. 나는 친구를 잃는 게 싫어."

"사와무라 양……."

"메구미만인 건…… 역시, 쓸쓸해."

에리리가 자신이 좋아하는 사람(카토 메구미)의 좋아하는 사람과, 계속 절친으로 지내려 하는 그 어리석음과 거만함과 오만함에…….

우타하는 그녀의 머리를 상냥하게 빗어주면서 답했다.

"잘 자, 우타하……."

"잘 자…… 에리리."

매사에 서툴고 천재이며 유치할 뿐만 아니라, 순수하다.

그렇기 때문에 질투가 나며, 또한 사랑스럽다.

우타하에게 있어, 사와무라 스펜서 에리리라는 인간은…….

그런, 최고로 시원찮은 히로인…… 아니, 주인공이었다.

인터미션 2

■후시카와 언데드매거진 1월호 게재용 단편소설 제2화 기획서(제1판)

20××/10/×× 카스미 우타코

■등장인물(제2화용, 3화 이후는 별도) :

주인공 :

·여자, 고교 3학년.

·성적 우수, 전교 1등.

·하지만 말투도 성격도 수업태도도 나쁘기에 교내의 평판이 나쁘며, 친구도 없다.

·수업 중에는 항상 졸며, 점심시간에는 옥상에서 고독하게 보낸다.

·1학년 때 투고했던 소설이 신인상을 받으면서 데뷔. 현재는 인기 작가.

·2학년 때 사인회에서 만난 같은 학교 1학년 남자애에게 작가라는 사실을 들킨다.

·그 후, 작가와 팬으로서, 교내에서 유일하게 대화를 나누는 사이가 되었다.

후배 :

·남자, 고등학교 2학년.

·중산층에서 자란 평범한 소년.

·문예부 부원. 취미는 독서.

(1화 소년과 설정이 겹치는 부분이 많기에 수정 필요).

·우연히 주인공의 데뷔작을 읽고 광팬이 된다.

·또한, 우연히, 사인회에서 주인공이 자기 학교 선배라는 사실을 안다.

·현재, 점심 때 옥상에서 단둘이 만나 작품에 대해 이야기를 나누는 관계.

■스토리 개요(제2화, 3화 이후는 별도) :

·도쿄에 있는 꽤 유명한 사립 고교(1화와 동일).

·그곳에 다니는 주인공은 입학 이후 전교 1등을 한 번도 놓친 적이 없는 수재이며,

또한, 수업 중에는 항상 졸기만 하는데다,

교사나 클래스메이트들에게도 반항적인 태도를 취하는,

교내에서 유명한 문제아다.

·게다가 그녀는 1학년 때 장난삼아 응모한 소설로 신인상을 받았으며,

데뷔작이 히트한 인기 작가라는 숨겨진 일면을 지녔다.

·어느 날, 그런 주인공이 출판사의 기획으로 첫 사인회를 가진다.

그리고 그 사인회의 첫 손님인, 그녀와 동년배로 보이는 소년의 입에서, 느닷없이 그녀의 본명이 튀어나온다.

·그 소년은 그녀와 같은 고등학교의 한 학년 후배이며, 그녀의 정체를 모른 채 순수하게 그녀의 책을 사서 읽고 사인회에 왔을 뿐인, 평범한 팬이었다.

·그 후로 주인공과 후배는 점심시간을 함께 보내게 된다.

두 사람은 그녀의 작품에 대해 이야기하며, 즐거운 시간을 공유했다.

·하지만 그녀에게는 후배인 소년에게 쭉 이야기하지 못한 일이 있다.

그녀의 신인상 데뷔작이 2권으로 조기 완결되게 되었을 때,

궁지에 처한 그녀를 구해준 건 그가 운영하는 팬 블로그였던 것이다.

그리고 그녀가 그와 만나기 이전부터, 그 팬 블로그의 관리인에게 호의를 가지고 있었 다는 것을.

그리고 그 호의의 의미가, 그를 만난 후로 조금씩 달라지

고 있다는 것을…….

제12.7.5화

루트를 양보하지 않았던 그녀

"…………."

9월 하순 금요일, 해질녘.

오늘 마지막 수업이 끝나자마자 토요가사키 학원의 교문을 선두 경쟁 중인 경보(競步) 선수처럼 1위로 통과한 쇼트보브 여자애는 그 이른 시간대와 재빠른 동작, 그리고 스텔스 성능 덕분에 대부분의 학생들에게 존재 자체를 들키지 않았다.

"하아, 하아, 하아…… 휴우우우우~."

그리고 교문에서 100미터 떨어진 통학로 교차로.

전봇대 뒤편에 숨어서, 아는 얼굴이 쫓아오지 않는지 확인한 그녀는 격렬한 운동을 한 탓에 숨을 헐떡이면서도, 마지막으로 안도의 한숨을 내쉬며 하늘을 올려다보았다.

카토 메구미. 토요가사키 학원 3학년 A반.

그리고 실시간으로 대표인 아키 토모야와 냉전 중인, 게임 제작 서클 『blessing software』의 부대표.

뭐, 간단히 말해 스텔스 음험, 카노 메구리의 모델, 시원찮은 그녀(경품 표시 위반) 등, 작중에서 다양하게 묘사되고 있는 이 작품의 메인 히로인 님이시다.

"……윽."

걸즈 사이드니까 말이야

그리고 지금, 주인공의 시야에서 벗어난 이 메인 히로인은 스마트폰의 화면을 쳐다보며 미간을 찌푸리더니, 본편에서는 보여준 적이 없는 표정을 지었다.

스마트폰의 화면에는 LINE의 읽지 않은 메시지가 여섯 건 정도 표시되어 있었다.

메구미는 그 메시지들을 전부 읽은 메시지로 바꾸는 마법의 버튼에 엄지를 댔지만, 얼어붙은 것처럼 온몸과 표정을 경직시키고 있었다.

왜냐하면, 이 메시지를 보낸 사람이 누구일지 충분히 짐작이 됐기 때문이다.

그리고 지금 이걸 읽어버리면, 모처럼 소강상태에 접어든 자신의 심정이 이번에는 어떤 방향으로 탁류를 흘려보낼지 알 수가 없는 것이다.

또한, 어느 쪽으로 흘려보내든, 그것이 올바른 방향인지 알 수가 없었다.

"……."

그래서 메구미는 결국 소강상태를 선택했다.

스마트폰을 슬립모드로 되돌리고 호주머니에 넣은 그녀는 다시 교문에서 돌아서더니, 교차로의 신호가 파란색으로 바뀔 때까지 기다린 후…….

"안녕!"

"아……."

그리고 발각당하고 말았다.

……자신이 예상했던 상대와는『다른』상대에게 말이다.

"교문을 일찌감치 통과했는데, 여기까지 오는 데는 꽤나 시간이 걸렸네, 카토~."

"효도 양……."

그렇다. 아무리 토요가사키 학원 귀가 레이스에서 선두를 차지하더라도, 못 당해낼 상대가 있다.

아마, 아니 분명 자기 학교 수업을 빼먹었을 미치루가 교복 차림으로 기타케이스를 안아든 채, 씨익 웃으면서 그녀를 향해 손을 흔들고 있었다.

※ ※ ※

그리고 항상 똑같은 장소라 미안하지만, 통나무집 스타일의 카페.

"어~, 왜 창가에 앉지 않는 건데? 저쪽이 밝잖아."

"그게, 창가에 앉았다간 발각…… 아, 으음~, 아침부터 햇

빛 알레르기 증상이 나타나서 말이야."

"오~, 그거 큰일이네. 몸조심해……. 그게 사실이라면 말이야~."

"……아무튼, 이쪽에 앉았으면 해."

앉는 자리 때문에 또 다툰 두 사람은 그제야 차분하게 얼굴을 마주했다.

"왠지~ 눈가가 부은 것 같아, 카토."

"햇빛 알레르기 때문이야."

"……오늘은 그 설정으로 밀어붙이기로 결심한 거구나?"

"……그것보다, 무슨 일이야?"

역시, 전혀 차분하지 않은 것 같았다.

"뭐, 별건 아닌데…… 이번 주말에는 게임 제작 합숙을 하나 싶어서 말이야."

"……안 해."

반사적으로 「진짜 별거 아니네. 그런 건 메일이나 LINE으로 물어보면 되잖아」 하고 말할 뻔한 메구미는 현재 자신의 정보 차단 상태를 고려해 그 반론을 단념하기로 했다.

"그럼 다음 합숙은 언제야?"

"미정 상태야. 그런 건 대표한테 물어봐."

"이야~, 토모한테도 물어봤는데 말이지. 지금 여러모로 바쁜 것 같았어. 정해지면 연락할 테니까 좀 기다려 달라는 소리만 계속 하지 뭐야."

"……그럼 나도 할 말이 없어."

"으음~, 난처하게 됐네……."

"난처하게 됐어? 효도 양이?"

"응. BGM을 꽤 만들어놨으니까, 슬슬 보컬의 방향성에 대해 상의하고 싶거든. 그래서 다 같이 모였으면 해."

미치루가 뜻밖일 정도로 긍정적인 발언을 하자, 메구미는 마음이 꽤 흔들리고 말았다.

"미, 미안해……. 하지만, 내가 그런 걸 정할 수는 없어."

하지만 그래도 어젯밤에 느낀 다양한 감정이 방해를 하는 탓에, 그 긍정적인 말을 받아들일 수가 없었다.

"……흐음~."

"……왜, 왜 그래?"

미치루가 자신의 망설임을 꿰뚫어본 듯한 눈빛을 머금자, 메구미는 점점 더 혼란스러워졌고…….

"토모와 다퉜다는 게 사실이구나~."

"딱히 심하게 다투지도 않았고, 그런 걸로 태도를 바꾸지도 않아. 아니, 그 이전에 다툰 적 없어."

그리고 정곡을 찌르는 듯한 지적 때문에 그 혼란은 정점에 도달했다.

"……누구한테 들었어?"

"누구든 딱히 상관없지 않아?"

"토모야 군……이 아니라 배신자……가 아니라 대표한테 들은 거야?"

"그거 전부 동일인물을 가리키는 말이니까 고칠 필요는 없지 않을까? 그리고 카토, 중간에 한 표현은 너무 불온해."

"아, 미안해. 그게, 무심코……."

"하아…… 이거 꽤나 화나게 했나 보네~?"

여전히 혼란에서 빠져나오지 못한 채 무표정한 상태로 표정을 술술 바꾼다고 하는 엄청난 능력을 선보이는 메구미를 본 미치루는 동정하는 듯한, 그러면서도 충분히 흥미 위주의 발언을 입에 담았다.

"그야 자기 서클을 내팽개쳤잖아? 믿겨져?"

"하지만~, 전체적인 스케줄을 생각하면 치명상은 아닐 것 같은데? 이참에 다른 파트를 진행해둔다면 충분히 커버 가능한 레벨이라고 생각하는데 말이야~."

"그런 문제가 아냐……. 서클에 전력투구를 하고 있지 않다는 게 가장 큰 문제인 거야."

"하지만 우리는 고등학생이잖아~. 시험이나 교내 행사 같은 것도 있으니, 항상 서클에 전력투구하는 것도 무리 아냐?"

"하지만 토모야 군은 자기 발로 그쪽 일에 뛰어 들었어……. 아무한테도 부탁받지 않았는데, 오히려 남들이 열심히 말렸는데……."

"그, 그렇구나……."

그리고 드디어 자기 마음의 방향성을 발견한 메구미는 (수해 레벨의)물 만난 고기처럼, 탁류를 콸콸 쏟아냈다.

※ ※ ※

그리고 30분 후…….

"코사카 아카네 씨나 『필즈 크로니클XIII』 같은 건 회사나 업계 레벨에서 본다면 큰일일지도 몰라."

"으, 응. 그래~. 큰일이네~."

"게다가, 에리리와 카스미가오카 선배가 지금까지 해온 노력과, 이제부터 쌓아갈 캐리어에 있어서도 충분히 큰일일지도 몰라."

"우, 우와~, 엄청 큰일이네~."

"하지만, 하지만 말이지. 그에 비해, 나의…… 우리의 게임이, 조그마한 걸까……. 그렇게 보잘 것, 없는 걸까……."

"아, 아하~. 이해해. 이쪽도 큰일이긴 해~."

메구미는 겨우 3분처럼 느껴지지만, 미치루에게는 3시간처럼 느껴지는, 그런 일그러진 시공(時空)에 두 사람은 있었다.

"반 년 전, 서클이 박살날 뻔 했을 때…… 효도 양은 남아줬고, 이즈미 양도 들어와 줬어……."

"응, 응, 정말 다행이야~."

“그래서, 이번에야말로 마지막까지 다 같이 전력을 다하자고 약속, 했는데…… 이대로는, 두 사람을 볼 면목이 없어……. 정말 미안해, 효도 양.”

“아니, 우리를 변명거리로 삼지 않아도…… 아앗, 미안해! 토모는 정말 나쁜 애라니깐~! 그럼 나는 드링크를 가지러 갔다 올게~!”

그런 탁한 공기를 견디지 못한 건지, 미치루는 음료수 잔을 쥐더니 서둘러 자리에서 일어난 후, 그대로 메구미의 시야에서 사라졌다.

“……미안해, 효도 양.”

그런 미치루의 뒷모습을 쳐다보던 메구미 또한 후회어린 표정을 지으며 음료수 잔 안에 있던 녹아서 작아진 얼음을 입에 넣었다.

겨우 하루 동안 마음속에 쌓인 가스의 양은 생각했던 것보다 많았다.

하지만 방금 그걸 전부 토한 덕분에 자신 안의 무언가가 가벼워진 듯한 느낌은, 유감스럽게도 전혀 들지 않았다.

아무리 토해버리더라도 마음속에 생긴 틈에 새로운 가스가 소나기가 내리기 전의 구름처럼 뭉게뭉게 생겨나는 것이 느껴졌기 때문이다.

결국 전혀 나아가지 못한 채 정체되어 있는 이 상황을 타개하지 않는 한, 메구미의 괴로운 마음은 잦아들 것 같지 않았다.

하지만 그렇다고 타개책을 알고 있는 것도 아니다.

아니, 애초에 자신에게 이 상황을 타개할 마음이 있는지도 알 수가 없었다.

"기다리게 해서 미안해~. 카토 것도 가지고 왔어. 아이스 커피인데, 괜찮지?"

"아, 응. 고마워."

그렇게 머릿속의 미로에 들어가려 하던 메구미를, 양손에 음료수 잔을 쥐고 돌아온 미치루가 현실로 되돌려 놓았다.

평소와 마찬가지로 타이밍이 나쁜…… 아니, 타이밍이 좋은 미치루에게 조금 감사하면서, 메구미는 방금 건네받은 새로운 음료수를 한 모금 마셨고…….

"그런데 카토……."

"응?"

"그럼 너는 어떻게 할 거야?"

"…………."

미치루가 평소와 마찬가지로 천연덕스럽게, 하지만 평소와 달리 본질을 찌르는 질문을 던지자…….

메구미는 그저 소리 없는 절규로 답할 수밖에 없었다.

"확실히 대표는 서클을 내팽개쳤거든? 시나리오라이터가

도망쳐버렸거든? 토모가 사와무라와 카스미가오카 선배에게 홀랑 넘어가버렸거든?"

"그거 전부 동일인물…… 그 이전에, 마지막 건 사실이 아닌……."

"그런 상황에서, 부대표인 너는 어떻게 할 건데?"

"아……."

"카토, 너는 부대표니까 대표가 자리를 비운 지금 시점에서는 대표 대행이거든? 이 서클에서 가장 높은 사람이거든? 결정권을 쥐고 있거든?"

"그, 그건…… 이즈미의 오빠가……."

"너, 하시마 오빠 쪽의 지시에 따를 거야? 지금까지 실컷 드잡이질을 벌여놓고, 이제 와서 전면적으로 항복할 거야?"

"……."

그것은 메구미의 마음속 한가운데에 정확하게 꽂히는, 말로 된 강속구였다.

그래서 쉬이 받아들이지 못한 채, 그 고통 때문에 얼굴을 찡그릴 수밖에 없었다.

"그러니까 결정해. 토모가 돌아올 때까지 작업을 중단하고 기다릴 거야? 아니면 토모는 없는 셈 치고 게임 제작을 다시 시작할 거야? 아니면……."

"다시 시작하는 건 힘들어……. 토모야 군 없이 어떻게 게임을 만들겠어……."

"물리적으로 힘들다는 거야? 아니면 감정적으로?"

"그러니까, 으음, 뭐랄까……."

"물리적으로 힘든 거라면, 대답은 NO야. 나는 토모가 없어도 곡을 만들 수 있어. 하시마 양도 그림을 그릴 수 있어. 카토도 분명 할 수 있는 일이 있을 거야."

미치루의 말은 옳았다.

이 라인만 제대로 가동된다면, 대표가 없다고 해서 작업이 바로 막히지는 않는다.

왜냐면 토모야가, 메구미가, 이오리가 『그런 식으로』 짜뒀던 것이다.

메구미가 알기로 이미 문장을 통한 콘티 지시는 내려져 있으며, 이즈미가 그려야 하는 이벤트CG 또한 스무 장 넘게 남아 있다.

곡 또한 후반부 시나리오에 맞춘 지시서가 이미 미치루에게 전달되어 있다.

스크립트도 아직 서브 히로인 개별 루트의 7할 가량이 남아 있다.

그러니, 다들 한탄하기에 앞서 해야 할 일이 얼마든지 있는 것이다.

"감정적으로 힘들다면, 이 말을 해줄게. ……농땡이 피우지 마, 카토."

"으……."

방금까지, 메구미는 자신이 한탄『이외에는 할 수 있는 게 없다』고 생각했다.

하지만 실은 한탄『만 하고 있어서는 안 된다』는 사실을 깨달았다.

눈앞에 있는…… 서클 제일의, 무사태평 아가씨의 말을 듣고 말이다.

"애초에 나를 서클에 끌어들인 사람은 토모와 카토잖아? 그런데 너까지 전부 내팽개친다면, 너는 토모와 다를 바 없는 죄인이야."

"그렇지, 않아. 나는 항상 토모 군에게 끌려가고 휘둘리기만……."

"뭐가 아니라는 거야. 내가 이 서클에 들어온 건, 나와 마찬가지로 오타쿠가 아닌 네가, 이 서클 안에서 말도 안 될 만큼 최선을 다하고 있었기 때문이야."

"내가 그렇게…… 최선을 다했어?"

"항상 무덤덤하고 분위기 맞출 줄도 모르지만, 다른 사람들을 완벽하게 서포트해주잖아. 그리고 문제가 생기면 카토가 어찌어찌 해결해왔어."

미치루는 그렇게 열정적인 말을 늘어놓으면서 점점 고개를 숙이더니, 말 한 마디 한 마디를 골라가며 천천히 말을 이어갔다.

"이 서클의 멤버들은 하나같이 제멋대로야. 특히 대표(토모)가 가장 제멋대로지. 다들 남의 말을 듣지 않지만, 그래도 카토의 말이라면 다들 순순히 따르는 편이잖아."

그래서 메구미는 말을 이어가는 미치루에게서 눈을 떼지 못했다.

"하지만, 이제 와서 토모와 좀 다퉜다고 농땡이를 치는 거야? 그래서야 토모를 끌고 간 사와무라와 카스미가오카 선배보다 나을 게 없어."

"나, 애초에 그 두 사람보다 낫다고는……."

"그러니까, 그 두 사람에게 맞서기 위해서라도 계속 최선을 다해야만 하지 않을까?"

말 한 마디 한 마디가 비수처럼 가슴을 찌르기에 고개를 돌리고 싶었지만, 그럴 수가 없었다.

"너는, 나한테 있어 위협적인 존재였어……."

"효도 양……?"

"딱히 노력하지 않아도 뭐든 잘하는 내가, 왠지 노력해야만 할 것 같다는 생각이 들게 하는 짜증나는 애야."

미치루의 마음을, 배신할 수는 없으니까…….

"그러니까, 카토……."

고개를 숙이고 있던 미치루가 얼굴을 들더니, 메구미를 똑바로 쳐다보았다.

그리고 테이블 아래에 있던 손을 메구미를 향해 내밀…….

"아앗!"

"……효도 양?"

그리고 얼간이 같은 고함을 지르더니…….

책상 밑에서, 펄럭펄럭펄럭~ 하는 소리가 나면서, 메구미의 발치에 종이 몇 장이 떨어졌다.

"아~, 자, 자, 잠깐만 기다려! 그거, 안 주워도 돼! 내가 주울게!"

"……이게, 뭐야?"

"아~, 안 돼! 보지 마아아아~!"

"어?"

미치루의 공허한 외침을 들으며, 메구미가 주워든 그 종이는…….

■카토 메구미 설득 계획(제3 수정원고)

20××/9/×× 카스미가오카 우타하

"……어?"

"줍지 말라고 했잖아~!"

운이 좋게도, 그것은 미치루가 몰래 가지고 있던 종이 다발의 표지 같았다.

"으음……."

그리고 다른 종이를 주워서 읽어 보니…….

『그런 상황에서, 부대표인 너는 어떻게 할 거야?』
『카토 양, 너는 부대표니까 대표가 자리를 비운 지금 시점에서는 대표 대행이잖아? 이 서클에서 가장 높은 사람이잖아? 결정권을 쥐고 있잖아?』
※)자기 말투에 맞춰 미세 수정할 것

"…………."
"저, 저기~, 그냥 못 본 걸로 하고 돌려주면 고맙겠는데 말이야~."
메구미는 예전에 이런 『각본』을 본 적이 있다.
그렇다. 약 1년 전, 고명한 소설가(카스미 우타코)에게 부탁해서 써달라고 했던 각본이다.
그 목적은 자신이 각본대로 연기를 해서, 상대방의 감정을 이끌어내는 것이었다.
나쁘게 표현하자면, 상대를 뜻대로 조종하기 위한…….
"……효도 양."
"으, 응?"
메구미는 주워든 종이를 미치루에게 건네준 후, 테이블 위에 천 엔 자리 지폐를 올려뒀다.
"수고했어. 나, 먼저 돌아갈게."

그리고 바로 자리에서 일어난 후…….

“아, 저기~, 내 이야기를, 조금만 더…….”

“아냐. 더는 괜한 소리를 할 필요 없어…….”

“카, 카토……?”

“한 마디라도 더 들었다간, 내가 어떤 태도를 취할지 나도 모르겠거든.”

“으으으으윽~!”

순식간에, 가게를 나섰다.

그리고 수십 초 후.

홀로 남겨진 미치루는 멋쩍은 표정으로 머리를 긁적인 후, 바닥에 떨어진 종이를 주워 모았다. 그리고 스마트폰을 조작해서 통화 버튼을 눌렀다.

“아~, 하시마 양, 하시마 양 응답하라……. 설득 실패. 반복한다. 설득 실패.”

※ ※ ※

“아…….”

“다녀오셨군요, 메구미 씨!”

그리고 그로부터 수십 분 후.

집 근처의 역에서 내린 메구미는 활기찬 목소리를, 그리고 메이드 카페에서 들을 법한 인사말을 들었다.

"이즈미 양…… 너희 집은, 이 근처가 아니잖아?"

어느새 추월을 당한 걸까……. 뭐, 카페에서 시간을 보낸 탓이겠지만 말이다.

같은 토요가사키 학원에 다니며, 자신보다 늦게 하교했을 이즈미는 마치 매복하고 있는 것처럼 개찰구 앞에서 기다리고 있었다.

"이야~, 주말인데다, 날씨도 좋아서 그런지, 정신을 차리고 보니, 어느새 이 근처까지……."

"연기인 거 아니까 안 해도 돼."

"……예."

아니, 미치루와 마찬가지로 매복하고 있었던 게 틀림없어 보였다.

"그런데 이즈미 양은 누구에게, 무슨 말을 듣고, 여기에 온 거야?"

"아~, 그게 말이죠. 이런저런 일이 있긴 했는데…… 미치루 선배가 카스미가오카 선배한테서 토모야 선배에 관한 이야기를 들은 것 같아요……."

"그랬구나……."

모든 등장인물이 『선배』인 이즈미의 처지를 약간 동정하면서도, 메구미는 예상을 거의 벗어나지 않는 경위를 듣고 확신을 가질 수 있었다.

즉, 오늘 이 헛짓거리…… 아니, 설득 시나리오는 전부 강탈을 해간 쪽…… 아니, 서클을 걱정한 카스미가오카 우타하가 계획한 것이다.

"그게, 태양신(카토 메구미)의 기분이 상한 바람에, 이대로 있다간 세계가 어둠에 휩싸이고(게임이 완성되지 않는다) 만다고 해서, 삼라만상(다른 멤버)의 신들이 어떻게 해보기로 했어요……."

"……흐음~."

"하지만 결국 새벽의 여신(효도 미치루)은 실패하고 만 것 같네요……."

"아~, 그 일련의 비유, 엄청 카스미가오카 선배다워……."

"걱정하고 있는 거예요. 메구미 씨와 토모야 선배를…… 서클 멤버만이 아니라 다른 동료들도요."

연애소설의 신이 쓴 지금까지의 캐릭터들이 총출동해서 메인 히로인을 설득하는 이 뜨거운 화해 시나리오를…….

"토모야 군은 걱정해도 되지만 나는 걱정할 필요 없어."

하지만 메구미는 그것을 졸작으로 폄하하려 했다.

"왜냐면 나는 변하지 않아……. 지금도 딱히 상처입지 않았고, 앞으로도 상처입지 않을 거야."

그리고 그런 식으로 태연을 가장하는 말을 남긴 후, 일부러 자신을 설득하러 온 후배를 내버려둔 채 걸음을 옮겼다.

그 말이, 허세처럼 들릴 만큼 표정을 딱딱하게 굳힌 채 말이다.

"그럼, 게임 제작도 토모야 선배 없이 할 수 있겠네요?"

"이즈미 양……."

"저와 함께, 열심히 게임을 만들 수 있죠?"

그것은 약 수십 분 전, 참견쟁이 음악 담당(미치루)이 입에 담았던 내용과 똑같았다.

그렇기 때문에, 이 참견쟁이 원화 담당도 진정으로 자신과 토모야를 걱정해주고 있다는 걸 구구절절하게 느낄 수 있었다.

"그러는 이즈미 양과 효도 양은 어째서야?"

"뭐가 말이에요?"

"어째서, 서클을 내팽개친 토모야 군을 용서해주려는 거야?"

그렇기 때문에, 부정하고 싶었다.

제멋대로인 서클 대표와 자신이 따로 떼어놓을 수 없는 존재로 여겨지고 있다는 것을 말이다.

"으음~, 그건 말이죠. 메구미 선배……."

"그건 말이지, 카토 양. 우리는 감정이 아니라, 이성을 통해 납득하고 있기 때문이야."

메구미가 이즈미를 향해 돌아서며, 다시 쳐다본 순간…….

이즈미의 등 뒤에서 느닷없이 출현한 갈색 파마머리 남자(하시마 이오리)가 멋대로 말을 이어받았다.

"토모야 군은, 분명 돌아올 거야. 저쪽에서도 대활약을 한 후, 분명 한층 더 성장해서 돌아올 거라고…… 어라?"

하지만 그렇게 담담히 이야기를 이어가던 이오리의 눈앞에 있던 메구미는…….

"이즈미? 분명 방금까지 카토 양이 여기에……."

"전력질주로 돌아갔어! 이럴 것 같아서 오빠한테 나오지 말라고 했던 거야!"

※ ※ ※

그 후, 메구미는 집에 돌아가서 저녁 식사를 마친 후, 목욕을 하고, 방에 돌아가서, 침대에 들어갔다.

"……으음~."

금요일과 작별을 하고, 토요일을 맞이한 후, 슬슬 아침이 되려고 하는데도, 그녀는 역시 침대 안에 있었다. 하지만 잠들지 않은 채, 베갯머리에 있는 스마트폰과 계속 눈싸움을 벌이고 있었다.

……뭐, 하는 짓은 어제 저녁과 전혀 다르지 않다는 점은 여러모로 그렇지만 말이다.

스마트폰의 슬립모드를 해제하고 홈 화면을 확인해보니, LINE의 읽지 않은 메시지가 이미 두 자릿수에 도달해 있었다.

그리고 메구미는 어플리케이션 버튼을 눌러서 그 메시지를 확인하지 않은 채, 스마트폰에서 눈을 떼듯 돌아누웠다. 하지만 몇 분 후에 다시 스마트폰을 향해 돌아눕는 행동을 반복했다. 이 행동도 곧 세 자릿수에 도달할 만큼 반복했다.

"안 봐. 안 읽어. 신경 끌 거야."

그리고 그때마다 마음에 물결이 일더니, 그걸 진정시키기 위한 주문을 읊조렸다.

"나는 멍한 여자애……. 감정표현을 잘 안 하고 매사를 질질 끌지도 않으며, 기뻐하는 건지 화내는 건지 슬퍼하는 건지 즐거워하는 건지 도통 알 수 없는 여자애. 그게 나, 카토 메구미."

……그런 식으로 자신이 직접 만든, 남에게 들려주기에는 좀 그런, 마음을 진정시키기 위한 마법의 주문을 말이다.

뭐, 이제 누구도 메구미를 『멍하고 감정표현을 잘 안 한다』고 생각하지 않는다는 점은 이 자리에서 언급하지 않기로 하겠다.

"신경 안 써, 신경 안 써……. 안 봐. 보면 지는 거야. 용서한 게 되어버려……."

하지만 그런 주문도 카페인이나 영양 드링크와 마찬가지로 수백 번 반복하다보면 지속 시간이 떨어지며…….

이제 와서는 1분도 채 정신의 안정을 유지시켜주지 못하고 있기에, 또 같은 고뇌를 반복하게 되고 만다.

뭐, 자신의 분노를 어필하기 위해, 자신의 스트레스를 극한까지 억누르는 치킨 레이스에 어떤 의미가 있는 걸까. 그리고 애초에 LINE 메시지를 읽는 것만으로 상대를 용서한 게 된다면 이 세상은 용서로 가득 찬 유토피아일 것이다…… 같은 그런 초보적인 의문도 이 자리에서는 언급해서는 안 된다.

"윽?!"

메구미가 게임 개발에 있어 매우 중요한 시기에 이런 식으로 시간을 헛되이 낭비하고 있을 때…….

또 스마트폰에서 메시지가 왔다는 걸 알리는 소리가 흘러나오면서, 메구미의 스트레스가 더욱 치솟게 했다.

"……어."

하지만 메구미는 스마트폰을 손에 쥐더니, 조작했다.

……왜냐면, 방금 도착한 메시지는 LINE이 아니라 메일이었던 것이다.

"아……."

※ ※ ※

From: 『아키 토모야』 〈T-AKI@○○○.○○〉

To: 『카토 메구미』 〈megumi-kato@○○○.○○〉

Subject: 어제까지의 일

※ ※ ※

그 메일을 보낸 이와 제목을 본 순간, 메구미는…… 주저없이 메일을 열었다.

그렇다. 이것은 메일이니까 말이다.

읽었다는 걸 들키지 않을 테니까 말이다.

그런 타산적인 생각에 사로잡혀 메일을 펼친 메구미의 눈에 들어온 것은…….

※ ※ ※

으음, 저기, LINE으로 연락하면, 네가 읽었는지 안 읽었는지,

계속 신경이 쓰여서 정신건강에 좋지 않으니까, 예전처럼 메일로 연락할게.

뭐, 그렇다고 꼭 읽어달라는 건 아냐.

하지만, 메일이라면 네가 읽었는지 안 읽었는지는 신경 쓰지 않으면서,

내 생각을 솔직하게 술술 적을 수 있을 것 같더라고.

※ ※ ※

"뭐……."

겁쟁이(토모야)가 쓴, 타산적인 메일 내용이었다.

※ ※ ※

메구미가 읽고 싶지 않다면, 안 읽어도 돼.

……뭐, 이런 걸 쓸 짬이 있으면 시나리오나 쓰라고 너는 생각할지도 모르지만,

그런 태클을 답장을 통해 날려 주십사 하고 생각한다고나 할까…….

※ ※ ※

"……흐음~."

자신의 눈빛이, 주마등을 보는 것처럼 순식간에 죽어가고 있는 게 느껴졌다.

자신의 머리가, 액체질소를 뒤집어쓴 것처럼 차가워지고 있는 게 느껴졌다.

※ ※ ※

하지만 말이야…….

메구미에게는 미안하지만, 나는 지금 엄청난 경험을 하고 있어.

그렇잖아? 바로 그 『필즈 크로니클』이라고.

메구미는 감이 오지 않을지도 모르지만, 우리가 철들 즈음에는, 빅 타이틀이 되어 있었던 바로 그 『필즈 크로니클』이란 말이야.

초대는 이제 플레이할 수 있는 게임기기가 생산되지 않아서, 리메이크판이 만들어졌던, 바로 그 『필즈 크로니클』이야.

※ ※ ※

"……아~, 그렇구나~. 참 좋겠네~."

토모야의 문장이 열기를 띠면 띨수록, 메구미의 목소리는 흉흉해져만 갔다.

※ ※ ※

우연이지만 기적이지만 그래도 기쁘지 않을 리가 없어.

나, 지금 정말 행복해. ……미안해, 메구미.

※ ※ ※

"아~, 그렇구나~. 이게 『진심으로 오글거린다』는 느낌이구나~. 응. 이제 이해했어~."

그리고, 토모야의 문장이 열기를 머금을수록, 메구미의 태클은 날카로워져만 갔다.

※ ※ ※

에리리와 우타하 선배가 별것 아닌 일이나 양보할 수 없는 일 때문에 다투고…….

내가 아무짝에도 도움이 안 되는 조언이나 의미 없는 태클을 걸 때…….

방구석에 그저 존재하며, 멍하니 그 말들을 흘려듣고 있던 녀석이 없어.

즐거우면, 즐거울수록…….

메구미가 내 곁에 없어서 너무 괴로워.

※ ※ ※

"와아~, 게다가 완전 나르시스트 모드잖아. 갈 때까지 갔네. 더는 무리야."

※ ※ ※

……빨리, 만나고 싶어.

※ ※ ※

"시끄러워…… 시끄러워, 시끄러워, 시끄러워……!"

잦아들려 하는 어조와 억양을 필사적으로 유지한 메구미는 그 메일을 읽으며 무덤덤하게 독설을 뱉었다.

그리고 독설을 뱉으면서도 침대에서 나오더니, 컴퓨터를 켠 후, 컴퓨터로도 메일을 수신하더니, ctrl과 P를 동시에 눌렀다. 그리고 프린터가 있는 거실로 내려가더니…….

몇 분 후, 방에 돌아온 그녀의 손에는 메일을 프린트한 용지와…… 빨간색 펜이 쥐어져 있었다.

"으음, 『남을 배신해놓고 정말 즐거워 보이네. 진짜로 부러워.』 하고……."

이미, 아침 해가 떴다.

하지만 메구미의 눈에 깃든 암흑은 더욱 깊이를 더해가는 것만 같았다…….

"여기는, 『몰라. 필즈 크로니클 같은 건 해본 적 없거든』 하고……."

그리고 메구미의 입에서 흘러나온 암흑은, 더욱 신랄해지고 있었다…….

"『나는 전혀, 하나도, 눈곱만큼도 만나고 싶지 않거든?』 하고……."

그리고 메구미의 손이 새빨갛게 타오르…… 아니, 붉은색 펜이 프린트를 붉은 색으로 물들이며, 송신자(토모야)를 쓰러뜨리라고 외치고 있었다.

메구미가, 뭔가에 홀린 것처럼 메일에 첨삭을 달고 있는 모습은…….

뭐, 존에 들어간 크리에이터라고 말할 수 있을 것도 같은 느낌이 들었다.

※ ※ ※

그리고 토요일 오후 한 시.

어제도 이용했던, 통나무집 스타일의 카페.

"느닷없이 이렇게 불러내서 정말 미안해."

"……아, 그건 괜찮아."

"아, 예. 진짜로 괜찮아요. ……그리고 어젯밤에 무슨 일이 있었는지는 안 물을게요."

이 자리에는 어제 메구미를 놓쳤던 미치루와 이즈미가, 자신이 놓친 이한테서 느닷없이 연락을 받고 이곳에 온 바람에 당황스러운 표정을 짓고 있었다.

"으음, 우선 어제 일을 사과할게. 심한 말을 해서 미안해……. 두 사람에게도 그리고 먼 곳에서 나를 위로해주려 했던 카스미가오카 선배에게도 말이야."

"아, 사과할 것까지는 없어."

"그래요! 전혀 개의치 않거든요! 지난주에 훨씬 심한 짓을 당했거든요! 메구미 씨는 눈치 못챘을지도 모르지만요."

"……진짜로 미안해. 진심으로 사과할게. 용서해줘, 이즈미 양."

"……무슨 일이 있었던 건지는 모르겠지만, 하시마 양은 여전히 인정사정없네."

새파랗게 질린 얼굴로 고개를 숙이고 있는 메구미를 본 미치루는 오늘만큼은 『지난 주』라는 단어를 입에 담지 않기로 맹세했다.

"그리고, 카스미가오카 선배한테도 LINE으로 카토의 말을 전해뒀어~."

"아, 고마워, 효도……."

"……어라, 벌써 답장이 왔네."

"카스미가오카 선배, 나를 용서해준 거야?"

"으음, 어디어디~. 『갑자기 태도가 돌변했네, 카토 양. 혹시 어젯밤에, 성(性)스러운 여섯 시간이라도 보낸 거야?』 하고……."

"……그 무례한 코멘트는 일단 묵살하기로 할게. 그리고 효도 양? 내 앞에서는 그 핫라인을 봉쇄해줄래?"

"히잇!"

"카토, 일단 너부터 용서를 하는 게 어때……?"

눈앞에서 메구미의 태도가 순식간에 돌변하자, 이즈미는 뭔가가 생각난 것처럼 표정이 새파랗게 질렸다. 그리고 미치루는 오늘만큼은 자신이 이 셋 중에서 가장 밑바닥 신세일지도 모른다는 의구심을 품었다.

※ ※ ※

"……합숙?"

"지금 바로, 요?"

"응……. 좀 늦어지기는 했지만, 역시 하자."

그리고 얼추 사과를 마친 후…….

메구미는 어제까지의 그녀가 마치 존재하지 않았던 것처럼, 평소보다 더 긍정적인 서브 디렉터로 변신했다.

"일단 엄마한테 허락을 받았어……. 『여자애』, 『두 명』까지라면 우리 집에 묵어도 오케이래."

……아니, 뭐, 모 남성(이오리) 스태프를 교묘하게 배제하는 점은 평소의 메구미답지만 말이다.

"그런데 카토? 진짜 왜 갑자기 합숙을 하려는 건데?"

"역시 어젯밤에 무슨 일이……."

"아냐. 진짜로 아무 일도 없었어……."

그렇다. 아무 일도 없었다.

좀 오글거리는 메일을 받기는 했지만, 그것은 최종적인 결단을 내리기 위한 방아쇠 역할을 했을 뿐이다…….

"그저, 여러모로 생각해본 끝에…… 역시, 관두기로 했어."

그녀가 이렇게 밑바닥에서 부활할 수 있었던 것은 어떤 『특수 이벤트』 덕분이 아니다.

"관두다니? 뭘 말이야?"

"뭐, 여러모로 고민하는 걸 관둔 거죠? 메구미 씨."

지금까지 이 서클에서 보낸 나날을…… 즉, 지금까지 쌓인 『일상 이벤트』 덕분이라고 믿고 있었다.

"아니, 좀 달라…….

내가 관둔 건, 토모야 군을 용서하는 거야."

"뭐?"

"어……?"

……하지만 이렇게 흔해빠진 결론을 입에 담는 것은, 일상 이벤트를 가벼이 여기는 얼간이 시나리오라이터들이나 하는 짓이다.

"그러니까, 토모야 군이 돌아올 때까지 게임을 대부분 완성시켜서, 우리 앞에서 무릎을 꿇고 싹싹 빌게 만들자는 거야."

"카토……?"

"메구미 씨……?"

"하지만, 그러기 위해서는 역시 노력해야만 해……. 토모야 군은 지금 잘못된 방향으로 전력을 다하고 있거든. 우리가 전력을 다하지 않았다간 그걸 변명으로 삼을 게 뻔해."

그래서 메구미는 솔직하게 말하지 않고 일부러 돌려 말했다.

이런 노력이 쌓이고 쌓여서, 모에 게임의 시나리오는 점점 재미있어지는 것이라는 긍지를 담아서 말이다.

그렇다. 이것은 좀 배배 꼬였을 뿐인, 잘 만들어진, 모에 시나리오다.

"그러니까 열심히 게임을 만들어서…… 토모야 군의, 퇴로를 차단하자."

"……."

"……."

메구미가, 진심으로 토모야에게 복수하기로 맹세한 것은 아마도…… 분명…… 아닐…… 터…….

"자, 그러니까 이번 주말은 단 하루도 헛되이 할 수 없어. 두 사람 다, 알았지?"

"으, 응~."

"히, 힘낼게요~."

두 사람 다 「어제까지 헛되이 할 심산이었던 사람이 무슨 소리를 하는 거야~」 같은 태클을 걸고 싶었다.

하지만 이상한 스위치가 켜진 메구미에게는 그 어떤 반격도 통하지 않을 것 같았다.

아마 메구미는 다양한 감정이 뒤엉켜 있는 바람에, 냉정한 판단을 내릴 수 없다.

그래도 『이제 다 끝났다』고는 믿지 않았다…….

아니, 『이제 다 끝났을 리가 없다』고 믿고 있는, 마치 주인공 같은, 메인 히로인이었다.

※ ※ ※

“저기, 이즈미 양……. 역시 우리 집에서 하자. 이즈미 양의 부모님에게 폐를 끼칠 수는 없잖아.”

“아뇨, 메구미 씨. 저희 집에서 하는 편이 훨씬 나을 거예요!”

그 후, 메구미는…… 아니, 메구미에게 감화된 둘을 비롯해, 세 사람은 신속하게 행동했다.

카페에서 나온 그녀들은 역 앞으로 걸어가더니, 쇼핑몰에 들어가서 이틀 치 과자와 음료수를 샀다.

“저는 데스크톱 컴퓨터로 작업을 하거든요. 그걸 들고 메구미 씨의 집에 갈 수도 없잖아요.”

“우리 집에도 노트북 컴퓨터는 있는데…….”

“저희 집에는 노트북도 두 대 정도 있어요. 그리고 거실에는 앰프와 스피커가 있고요.”

“오, 그거 좋네~.”

그리고 갈아입을 옷과 세면도구를 산 후, 지금은 역의 플랫폼에서 『어느 방향으로 가는 열차를 탈 것인가』 논쟁을 펼치고 있었다.

“하지만 여자애가 둘이나 느닷없이 찾아가는 것도…….”

“아~, 걱정 마세요.”

“걱정 말라니, 뭘…….”

“오빠라면 방금 작업도구를 전부 챙겨들고 근처 비즈니스

호텔에 체크인한 것 같아요. 「내가 있으면 부대표가 질색을 할 테니까 말이야」라면서요.”

“……어.”

아무래도 신속하게 행동한 이는 세 사람만이 아닌 것 같았다.

“그리고 저녁에 먹을 배달 음식도 이미 주문해뒀고, 앰프 세팅도 해뒀으니 집에 가면 바로 작업을 시작할 수 있을 거래요. 아, 지금 호텔에서 스카이프도 연결했대요.”

“……이즈미 양. 미안하지만, 나는 역시 네 오빠가 거북해. 절대 못 이길 것 같은 점까지 포함해서 정말 싫어.”

“하시마 오빠 쪽은 마음 씀씀이가 거의 초인적이네…….”

그런 고로, 원화 담당과 음악 담당과 프로듀서 겸 디렉터와 부대표 겸 서브 디렉터의 마음이 하나가 되면서, 경사스럽게도 『blessing software』는 다시 풀가동됐다.

아, 대표 겸 시나리오라이터는 빠졌지만, 괜찮다. 활동에는 큰 지장이 없으니까 말이다.

※ ※ ※

“자, 저희 집에 잘 오셨어요~♪”

“시, 실례할게…….”

"우와~, 새집 냄새~!"

그리고 결국, 합숙 장소 승부는 이즈미, 아니, 하시마 남매의 완전 승리로 끝나면서, 그녀들은 한적한 주택가에 있는 『하시마』라는 명패가 붙어 있는 단독주택에 도착했다.

"일단 제 방과 거실을 쓰기로 했어요. 참, 오늘은 오빠만이 아니라 부모님도 외박하실 거니까 걱정 마세요."

"……왠지 토모의 부모님에 버금갈 만큼 타이밍을 잘 맞춰서 자리를 비켜주시네."

"으, 으음, 그럼 준비를 시작해보자."

미치루가 작품세계의 심연을 들여다보는 듯한 눈치 없는 발언을 하자, 메구미는 그 말을 막듯 서둘러 거실에 들어가더니 소매를 걷어붙이면서 의욕을 불태웠다.

"그럼 이즈미 양? 우선 뭐부터 하면 될까? 식사 만들까? 청소 할까? 아니면 목욕물을 받을까?"

"……저기, 메구미 씨. 서브 디렉터라는 사람이 집안일부터 하려고 하지 마세요."

"응? 나, 합숙 때마다 그런 것부터 했는데 말이야."

이즈미로서는 「그건 행사가 아니라 장소가 문제였다고 생각하는데요」라는 딴죽을 날리고 싶은 충동을 느꼈지만…….

"……그것보다, 오늘은 메구미 씨에게 꼭 부탁드리고 싶은 게 있어요."

"좋아. 뭐든 다 할게."

하지만 이즈미는 그것보다 더욱 크고 격렬한 충동을 우선하기로 했다.

"그럼…… 지금부터 한동안 꼼짝도 하지 마세요."

"……뭐?"

※ ※ ※

“앗! 움직이지 말라고 했잖아요, 메구미 씨!”

“하, 하지만, 이즈미 양…….”

“말하지 마세요! 눈도 깜빡이지 마세요! 숨도 쉬지 마세요!”

“그랬다간 죽어…….”

“그럴 마음가짐으로 이 작업에 임해주세요! 제가 고대하고 고대했던 메구리 루트의 원화 작업이란 말이에요!”

창문에서 스며들어오는 저녁노을이 점점 붉어지고 있는 토요일 해질녘.

합숙소가 된 이즈미의 집 거실에서 한 시간 가량 소파에 앉아있던 메구미는 눈앞에서 정신없이 스케치를 하고 있는 이즈미를 향해 우는 소리를 하기 시작했다.

“하지만 딱히 나를 스케치하지 않아도…….”

“메인 히로인이 무슨 소리를 하는 거예요! 무슨 소리를 하는 거냐고요, 메구미 씨!”

하지만 메구미가 우는 소리까지 하게 만든 일러스트레이터(이즈미)는 아직도 힘과 열의와 무(無) 배려로 가득 차 있었으며, 모델(메구미)에게 무휴식 중노동을 강요하고 있었다.

“잘 들어요, 메구미 씨. 메인 히로인은 미소녀게임 최고의 꽃! 원화는 미소녀게임 제일의 세일즈 포인트! 그리고 러프 스케치는 원화의 핵심! ……즉, 지금 저희가 하고 있는 작업은 모든 면에 있어서 가장, 매우, 최고로 중요한 작업이에요!"

"으음, 방금 그 설명은『나를 스케치해야만 하는 이유』라고는 할 수 없을 것 같은데 말이야."

"자아, 또 포즈를 취해주세요, 메구미 씨! 귀엽고, 아름답고, 고결한 포즈를 말이에요! 새초롬한 표정으로 응시하며, 순수한 미소를 머금으세요! 그리고 때로는 걱정으로 표정을 물들이며 눈을 살짝 내리까는 거예요!"

"……꼼짝도 하지 않으면서 그러는 건 엄청 힘들 것 같거든?"

"후, 후후, 후후후후후……. 좋아요! 이미지가 샘솟기 시작했다고요!"

"이, 이즈미 야……?"

♭ 0화의 에리리

마치 어디 사는 누구 씨가 빙의한 것처럼, 이즈미는 이제 와서 더욱 속도를 끌어올리면서 연필과 입을 놀리기 시작했다.

"할 수 있어! 할 수 있다고요! 입술의 촉촉함, 피부의 질감, 살결, 머리카락의 볼륨, 속눈썹, 솜털, 잔털 하나하나까지, 지금, 모든 이미지가 저의……!"

"아~, 미안한데, 그러지 마. 그리고 마지막 하나는 없어. 한 올도 없단 말이야."

그 말은, 그 집착은…… 그야말로 아저씨같았다.

“뭐, 전력을 다하는 건 좋지만 말이야. 그래도 체력 분배는 해가면서 작업해, 이즈미 양.”

“괜찮아요……. 예정 기간 안에 작업을 완료하기만 한다면, 전력투구를 해도 문제될 게 없으니까요!”

“색칠도 해야 하잖아? 이건 다음 작업에 부담을 주기만 하는 거나 마찬가지 아냐?”

“괜찮아요……. 컬러 작업도 어차피 제가 할 거니까요!”

“아니, 그러니까 괜찮지 않다는 건데…….”

작업을 시작하자 이즈미가 선보인 이 멋진 열의와 스피드는 합숙 성공을 예감하게 했다.

하지만, 이 엄청난 열의가 마이너스로 작용할 때가 있다는 것을 서클 2년차인 메구미는 안다. 그래서 이 뜨거운 열의가 좀 위험스럽게 느껴지는 것도 사실이었다.

“저, 저기, 효도 양도 뭐라고 한 마디…….”

메구미가(고개를 움직이면 혼나기 때문에) 필사적으로 눈동자만 움직여서 오른편에 있는 미치루에게 도움을 요청하려고 하자…….

“아~ 카토, 미안한테 말 걸지 말아줘~. 방금까지처럼 하시마 양한테 푸념이나 늘어놓아~.”

미치루 또한 이즈미와 마찬가지로 악보에 격렬하게 연필을 놀리고 있었다.

"……뭐하는 거야?"

"뻔하잖아. 작곡하고 있어~."

"으음, 방금 그 설명은『내가 말을 걸면 안 되는 이유』라고는 할 수 없을 것 같은데 말이야."

"아니~, 그게 말이야~. 하시마 양과 카토의 대화가~, 메구리 시나리오 초반의 주인공과 메구리의 대화와 이미지적으로 엄청 비슷하거든~."

"이상한 부분에서 영감을 얻지 좀 마……."

아까까지 주도권을 쥐고 있었던 부대표, 메구미는 현재 이곳에 존재하지 않았다.

이곳에 있는 메구미는 서클의 간판 크리에이터 두 명에게 종횡무진으로 유린당하며, 반론 및 반항도 하지 못하고 있는, 서브 디렉터라는 이름의 장난감이었다.

"하지만, 초반의 주인공과 메구리의 핀트가 어긋난 대화 장면은 영락없이 이런 느낌이잖아? 예를 들어『메구리04』에서, 두 사람이 첫 데이트 삼아 축구를 보러 갔을 때도 그랬어."

"나는 그 장면이 재미있다고 생각한 적이 나는 딱 한 번도 없는데……."

그 뿐만 아니라 메구미는 그 이벤트에서 시나리오라이터에게(11권 144페이지 참조) 마구 지적을 해댄 적이 있다.

"평소에는 토모와 카토가 모델이지만, 지금은 하시마 양도 딱 들어맞는단 말이지. 역시 토모의 애제자야. 그야말로 리틀 토모!"

"그런 소리 하지 마. 이즈미 양이 불쌍하단 말이야."

"저기~, 저는 딱히 디스당하고 있다는 느낌이 안 드는데요."

뭐, 그 지적의 절반 이상은 주인공이 아니라, 주인공과 같은 행동 패턴을 지닌 시나리오라이터를 향했지만 말이다.

"좋아. 그럼 일단 완성됐으니까 들려줄게. 『메구리04』용 BGM…… 『핀트가 어긋난 데이트』!"

"어, 벌써 완성됐어?"

"이미지만 잡으면 뚝딱 만들 수 있거든~."

미치루는 그렇게 말하면서 기타를 안아들더니, 완성한 악보가 아니라 기타의 현을 응시하며 천천히 연주를 시작했다.

"아……."

"와아……."

초반은 슬로 템포에 단조로웠다.

그야말로, 내키지 않는 데이트를 하고 있는 여자애가 어쩔 수 없이 남자애를 담담히 따라가고 있는 정경을 그리고 있는 것 같았다.

하지만 곳곳에 들어있는 전조(轉調)가 계속 뒤처지고 있는 여자애를 기다리거나 재촉하고 있는, 눈치 없는 남자애의 심정 같았다.

『저기 말이야. 이렇게 제멋대로에 억지만 부려대는 남자에게 호감을 가지는 여자애는 없어.』

『그, 그렇지 않아! 드라마 같은 데서 나오잖아. 남자가 데이트 신청을 해놓고, 자기만 즐거워하지만…… 여자는 처음에는 어이없어 하면서도 남자의 그런 어린애 같은 일면을 귀엽다고 생각하며 「정말, 못 말린다니깐」 하고…….』

『안 그러거든? 현실에서 그런 짓을 하면 「못 말린다니깐」 하고 말하면서 멋대로 돌아가 버릴 거야.』

『기다려! 돌아가지 마!』

"……윽."

"메구미 씨?"

"왜…… 왜 그래?"

"……표정, 바꾸지 마세요. 아직 스케치 중이란 말이에요."

"미, 미안해……."

그 순간, 메구미의 뇌리에 떠오른 장면은 『어째서인지는 모르겠지만』 겨우 며칠 전에 시나리오라이터에게 지적을 했던 때다.

그리고 지금 이 순간, 메구미의 얼굴에는 미소가 어려 있었을까, 분노가 어려 있었을까, 아니면…….

그것은 이즈미에게 물어봐야만 알 수 있을 것이다. 하지만 그런 걸 물어볼 수는 없었다.

“……자아, 끝~.”

“우와아…… 엄청 좋았어요! 이걸 진짜로 방금 만든 거예요?!”

“…….”

그 후에도 곡은 전조와 템포의 변화를 반복하면서 때로는 시끄럽게, 때로는 존재감을 없애면서, 어디로 가는지 알 수 없는 위험함을 품으며 나아갔다.

그래도 서서히, 이 두 페이스와 두 곡조가 서로를 방해하지 않게 되더니, 마지막으로 융합……되는 것처럼, 메구미는 느껴졌다.

“카토, 어때? 데이트하고 있는 기분이 들었어?”

“……그런 걸, 내가 어떻게 알아.”

미치루가 던진, 그 크리티컬한 질문에…….

이즈미가 움직이지 못하게 했기 때문에, 『어쩔 수 없이』 미치루 쪽을 쳐다보지 않으며, 메구미는 대충 대답했다.

이 곡이, 『그와 그녀』의 가까워지는 과정을 그리고 있다면…….

그것은 꽤나 우스꽝스럽고, 정석에서 벗어나 있어서, 전혀 공감을 얻을 수 없으리라.

현실에서는 이런 식으로 커플이 될 수도 있다는 상상조차 할 수 없으리라.

……그렇기 때문에, 이것은, 미소녀 게임의 BGM으로서 매우 뛰어난 곡일지도 모른다.

"……좋아, 저도 완성했어요~!"

"오, 하시마 양. 보여줘."

"아……."

그리고 마치 타이밍을 재기라도 한 것처럼…….

이즈미는 스케치북을 돌리더니, 자신이 한 시간 동안 전력을 다한 결과물을 보여줬다.

"에헤헤, 실은 저도 『메구리04』의 이벤트 CG를 그리고 있었거든요……."

"흐음~, 이런 『우연』도 다 있네~."

"예. 『설마』 미치루 선배와 겹칠 줄은 몰랐어요~."

"……."

메구미는 이 두 사람의 『부자연스러운』 대화를 듣고…….

아니, 이 러프 그림을 본 순간, 두 사람이 『담합』을 했다는 걸 눈치챘다.

그 스케치북에 그려져 있는 것은 토모야와…… 아니, 주인공과 만난 지 얼마 안 된…….

아마, 아무런 우려도, 그 어떤 생각도, 그 어떤 족쇄도 없이…….

담담히, 무덤덤하게, 무표정하게 그리고 희미한 감정만을 품은 채, 쭉 『주인공』의 열기를 쬐고 있던 시절의 자신…… 메인 히로인이었다.

"메, 메구미 씨? 어, 어떤가요?"

"곡도, 그림도, 고칠 부분이 있다면 말해줘. 서브 디렉터."

고칠 부분이 있을 리가 없다.

『동인 레벨이라면 이정도로 충분』이라든가, 『스케줄을 생각하면 지적을 할 수 없다』 같은 그런 생각이 눈곱만큼도 들지 않을 만큼 OK다. 아니, 완벽했다.

"……."

"……메구미 씨?"

"뭐, 천천히 생각해봐~."

그런데도 메구미는 게임에, 시나리오에, 메구리 루트의 스토리에, 이 음악과 그림이 매치되고 있는지 깊이, 깊이 생각했다.

왜 그때…… 메구리 시나리오의 초반에, 그녀는 그를 받아들였을까.

왜, 오타쿠에 제멋대로인 남자와 함께 하기로 한 것일까.

그런 면을 생각해보니, 역시 초반의 메구리는 바보에 생각 없는 여자 같았다.

하지만, 하지만 그렇다면…….

왜 지금, 그걸 알면서도 자신은 아니, 메구리는…….

종반에, 주인공과 맺어지는 전개로 나아가는 것을 선택했을까.

1년 넘게, 쭉, 주인공과 떨어지지 않고 함께 있는 걸 선택한 것일까…….

"아…… 미, 미안해, 이즈미 양……. 나, 얼굴 움직였지?"

표정만이 아니라 손도, 눈가도 움직이고 말았다.

그리고 얼굴 위치만이 아니라, 표정까지도 바꾸고 만 것이다.

"……이제, 괜찮아요."

"카토? 스케치 끝났거든?"

"미, 미안…… 미안해……."

이제, 모델 역할이 끝났다는 것까지 잊은 채…….

메인 히로인, 카노 메구리는…….

아니, 서브 디렉터, 카토 메구미는, 그 BGM과 원화에, 겨우 OK를 했다.

그 고찰은, 현실과 시나리오가 뒤범벅이 된 채, 어긋나 있었지만…….

그래도, 그녀의 마음을…… 아마, 유저의 마음을 움켜잡기에는 충분하다고 판단한 것이다.

"저, 저기…… 얼굴 좀 씻고 올게."

그리고 메구미는…….

겨우 해방된 몸을 움직여, 두 사람에게서 도망치듯, 세면장으로 뛰어 들어갔다.

그리고 20분 정도…….

아마, 『여자애의 몸가짐』적인 이유로, 메구미는 거실로 돌아오지 않았다.

"……좋아, 완성~."

"뭐? 그림을 한 장 더 완성한 거야?"

"예……. 방금 표정, 좋았거든요~♪"

"……너, 정말 인정사정없구나~."

그렇기에, 그녀가 없는 사이에 무슨 일이 벌어졌는지 알 수가 없었다…….

※ ※ ※

"……이게, 목적이었어?"

"예, 예에~?"

"뭐가 말이야~?"

메구미가 세면장에서 돌아와 보니, 거실에 있던 스케치북과 기타는 구석으로 옮겨져 있었으며, 테이블 위에는 조금 이르지만 저녁 식사가 차려져 있었다.

두 사람의 이 완벽한 준비에서 증거인멸 같은 느낌이 감돌지 않는 것은 아니지만…….

그래도, 이 합숙 초반의 성과를 고려할 때, 서브 디렉터로서는 잠시 휴식을 취하자는 의견에 이의를 제기할 수가 없었다.

"어제부터 합숙을 하자고 했던 건…… 나한테 조언을 받기 위해서가 아니었던 거지?"

……하지만, 그렇다고 해도 그 점은 그녀들이 『합숙을 통해 얻으려 하는 것』에 대해 추궁하지 않아도 되는 이유는 되지 못했다.

"에이~. 카토, 무슨 소리를 하는 거야? 최종적으로 합숙을 하자고 한 사람은……."

"미치루 씨……."

미치루가 또 시치미를 떼려고 하자, 『최근의』 메구미가 얼마나 무시무시한지 잘 아는 이즈미가 그녀를 제지하면서 고개를 숙인 후, 입을 열었다.

"죄송해요, 메구미 씨……. 메구미 씨의 말이 맞아요."

"음악이나 그림에 관한 의견이라면 하시마 오빠 쪽한테 들으면 충분해. 뭐, 그쪽이 치프 디렉터이기도 하잖아~."

"으……."

"아앗! 물론 메구미 씨도 충분히 도움이 되거든요? 하지만 일부러 폐를 끼칠 필요는 없다는 말이에요!"

"우리가 필요한 건 서브 디렉터인 카토가 아냐. 메인 히로인인 카노란 말이야."

"흐, 흐으으으음~."

"그, 그러니까 말 좀 골라가면서 하자고요, 미치루 씨~."

이즈미가 필사적으로 상황을 원만하게 해결하려 했지만, 미치루가 피자를 씹으면서 한 말은 메구미의 가슴에 정확하게 꽂혔다.

"하시마 양, 이제 와서 무슨 소리를 하는 거야? 카토한테 가장 잔인한 짓을 하고 있는 건 바로 너잖아?"

그리고 미치루가 말한 것처럼, 말로는 저러면서도 이즈미가 인정사정없이 취한 행동 또한, 메구미의 가슴에 정확하게 꽂혔다.

"시나리오도, 원화도, 음악도…… 드디어, 메인 히로인 루트 파트에 접어들었어요."

"토모가 말했었지? 메인 히로인 루트는 다른 히로인 루트보다 압도적으로 뛰어나야만 한다고 말이야."

그렇기에 결국 미치루와 이즈미는 서로를 곁눈질한 후, 메구미에게 솔직하게 본심을 털어놓기로 했다.

"그러기 위해서는 역시 메구리의 조언이 필요해요."

"응. 카노의 표정, 감정, 심정을 이해해야만 해."

"이해하고, 흡수해서, 작품에 표현해야만 해요……."

"그러니까 카노…… 아니, 카토. 이번 주말 동안, 너는 벌거숭이가 되어줘야겠어."

그리고 메구미는 이 두 사람의 진지한 눈빛과 말에 압도당하면서도…….

"나한테, 메구리가 되라는 거야?"

그래도 그에 버금갈 만큼 진지한 눈빛과 말로 두 사람에게 물었다.

"하지만, 나는 메구리가 아닌데……."

"아~, 그래도 괜찮아."

"그저, 메구미 씨가 보여줬으면 해요."

"이 게임에서 가장 인기를 얻어야만 하는, 카노 메구리라는 캐릭터를 말이야."

"지금, 이 자리에 없는, 시나리오라이터(토모야 선배)를 대신해서요……."

"하지만 그건 원래 시나리오라이터의 역할……."

"네가 안 하면, 그 녀석(토모)의 퇴로를 차단할 수 없을 걸?"

"게임을 완성시켜서, 무릎 꿇고 싹싹 빌게 만들자면서요?"

메구미의 퇴로는 이미 차단되어 있었다.

그것도, 토모야의 퇴로를 차단한다고 하는 대의명분에 의해서 말이다.

"정말……."

아마 그것은 두 사람에게 있어서, 우연의 산물에 지나지 않는 변명일 것이다.

그저, 메구미가 『토모야를 용서할 수 없다』고 결심했기에, 그것을 이용하고 있는 것뿐이리라.

"메구리가 어떻게 되던…… 나는 몰라~."

그러니 메구미가 메구리가 된다는 것은 결국, 그녀 스스로가 선택한 길인 것이다.

※ ※ ※

『러프 두 장 확인했어.』

『어때?』

『응. 딱히 지적할 건 없어. 이대로 진행하면 돼.』

『다행이야~.』

『뭐, 지적할 데가 없을 거라고 나도 생각하긴 했어.』

『역시, 내가 자리를 비우기 잘한 것 같아.』

『내가 있었다면, 메구리의 이런 표정을 이끌어내지 못했을 거야.』

『아~, 뭐, 그럴 거야.』

『잘 들어, 이즈미. 오늘 밤에는 절대 그녀에게서 눈을 떼지 마.』

『표정, 말투, 태도, 전부 훔치는 거야.』

『그게 바로 토모야 군이 상상하는 메구리일 테니까 말이지.』

『오케이♪』

"오케이♪…… 어?"

"으음~, 메구리는 이렇게 상대를 배려하지 못하는 애였어~?"

"……효도 양에게 그런 말을 들을 줄은 몰랐어."

이즈미가 스마트폰을 호주머니에 집어넣고 대화에 참가하

려 할 즈음, 메구미와 미치루는 뜨거운 메구리 논쟁을 벌이고 있었다.

"하지만 메구리는 메인 히로인이라는 거잖아? 메인이 이러는 건 좀 그렇지 않아~?"

"의외야……. 효도 양은 그렇게 깨끗한 인격을 추구하는구나. ……자기 이외의 남한테는 말이야."

"아, 그런 게 아냐. 진짜로 아니거든? 그저, 여자의 우정은 얄팍하네~ 같은 생각이 들었어. 그리고 카토는 말투가 너무 음험해!"

이즈미가 어찌어찌 두 사람의 대화에 참가하려고 두 사람 사이에 비집고 들어가 보니, 그녀들은 컴퓨터 모니터에 표시된 게임의 개발 중 화면을 보고 있었다.

구체적으로 설명하자면 배경은 『쇼핑몰』. 스탠딩CG는 『메구리 사복2』.

그리고 메구리의 표정 패턴은…… 『분노1』이었다.

"으음…… 이건, 『메구리08-2』 이벤트인가요?"

"그래! 하시마 양도 의견 좀 내봐! 메인 히로인은 좀 전방위적으로 완벽해야 하지 않아? 누구한테나 사랑받을 수 있도록 말이야."

"하지만 효도 양, 그런 인형 같은 히로인을 진짜로 다들 좋아할까?"

"저기, 죄송한데 저도 대화에 참가하고 싶으니까 차근차근 설명해주세요!"

이벤트 번호 : 메구리08-2

종류 : 선택 이벤트

조건 : 8주차 토요일, 우타하06 발생 이후, 메구리를 선택했을 때 발생

개요 : 메구리와 쇼핑몰에서 데이트를 하지만……

으음, 뭐, 차근차근 설명을 하자면…….

그녀들의 격렬한 논쟁의 원인이 된 이벤트는 이즈미가 말한 것처럼 『메구리08-2』이며, 위에 적힌 조건에서 발생한다. 자세한 건 11권 148페이지 이후

사실 이 이벤트는 단순히 히로인과 러브러브하는 데이트 이벤트와는 엄연히 다르다. 그것이 메구미와 미치루의 의견 차이를 자아내고 있는 포인트이며…….

"아~ 주인공이 데이트를 중단하고 다른 히로인을 만나러 간 후의, 메구미의 반응 말이군요~."

그렇다. 이 이벤트에서, 주인공은 데이트 도중에 돌아가 버린다.

그 점에는 『사이가 틀어진 다른 히로인과의 화해』라는 명확한 목적이 존재하고, 『주인공도 메인 히로인에게 제대로 그 점을 설명』했으며, 『메인 히로인 또한 납득하며 주인공에

게 가보라고 말해준다』라고 하는, 꽤 정석적인 수순을 밟고 있다.

그런데…… 주인공이 돌아간 후, 메인 히로인의 표정이…….

"……그러네요. 엄청 화났네요."

"하시마 양, 이상하지 않아? 친구를 위한 일이잖아? 게다가 납득도 했잖아? 그런데 왜~ 이 카토…… 아니, 카노는 이렇게 화가 난 거냔 말이야."

"이 『분노1』의 표정을 그냥 『살짝 열 받은 얼굴』 정도로 했다간 앞으로 이야기가 이어지지 않아."

메구미는 바로 그 『분노1』과 비슷한 표정을 짓더니, 작은 목소리로 명확하게 반발했다.

"하지만 플롯이라는 걸 읽었을 때는 이런 캐릭터가 아니었던 것 같은데 말이야~. 좀 더 순수하고, 상냥했어."

"순수하고 상냥하다는 점은 바꾸지 않았다고 생각하거든? 그저, 좀 더 인간적인 캐릭터가 됐을 뿐이야."

"뭐, 확실히 메구미 씨의 말도 일리가 있을지도 몰라요……. 그냥 상냥하기만 해선 캐릭터성이 약할 수도 있거든요."

"이즈미 양도 그렇게 생각하지?"

"으음~, 하지만 말이야. 메구리는 『캐릭터성이 약하다』는 게 특징 아니었어?"

"초반에만 그래, 효도 양. 이 단계의 메구리는 질투도 하고, 짜증도 내는데다, 약아빠진 밀당도 한단 말이야."

"예?! 메구리가 이 단계에서 그런 짓을 하는 건가요?! 그럼 캐릭터성이 약간, 아니, 꽤나 붕괴될 것 같은데……."

"맞아, 맞아~!"

"이즈미 양…… 너는 대체 누구 편이야?"

"저기, 메구미 씨의 캐릭터성이 지금 붕괴되려고 하거든요?!"

"애초에 메구리는 여자의 우정을 좀 더 소중히 하는 캐릭터였지? 여기서도 다른 애를 걱정하고 있잖아?"

"그런 캐릭터 설정은 건드리지 않았는데 말이야."

"그러니 주인공이 다른 애한테 가버리더라도 웃으면서 보내주는 타입 아닐까?"

"웃고 있거든? 이 장면에서 말이야."

메구미가 마우스의 휠을 회전시키자, 화면에 『응, 가봐. ○○군』이라는 메구리의 메시지와 함께 스탠딩CG의 표정 『미소3』이 표시되었다.

"이 장면에서 완전 화내고 있잖아!"

하지만 미치루가 왼쪽 버튼을 몇 번 누르자, 화면에는 『……』라는 메구리의 메시지가 세 번 정도 연속으로 표시되더니…….

그리고 마지막으로, 스탠딩CG의 표정이 『미소3』에서 『분노1』로 변화했다.

“우, 우와아…… 이렇게 이어서 보니 무시무시하네요.”

유저들 중에는 이걸 처음 보고 등골이 오싹해지는 사람도 꽤 있을 것 같았다.

……뭐, 등골이 짜릿찌릿(미묘하게 다름)해지는 유저도 있을 것 같지만 말이다.

“저기, 카토. 이 표정, 진짜로 남길 거야?”

“안 될까? 두 사람 다 반대하는 거야?”

“주인공도 보지 않았잖아? 그런데 일부러 유저들에게 보여줄 필요는 없지 않을까?”

“으음, 그것보다 메구리는 동성 친구와 주인공 중에 누가 더 소중한 걸까요?”

“그, 그건, 으음~ 분명 친구일걸? 이 단계에서는 말이야.”

메구미의 그 발언에는 미묘한 망설임이랄까, 『이 단계에서는』이라는 미묘한 조건 같은 게 붙어서, 여러모로 미묘했지만…….

“그럼 다른 애를 신경써주는 척 하다 화를 낸다면, 『결국 남자가 더 중요한 거냐!』 같은 느낌이 되지 않을까?”

“뭐, 동성에게 미움을 받을 것 같기는 해요~.”

“어, 그, 그래……? 동성에게, 미움을 받는…… 거구나…….”

결국 그런 미묘한 부분을 고찰할 필요도 없이, 두 사람에게 자신의 사상을 부정당한 메구미는 마치 자기 일인 것처럼 고개를 푹 숙였다.

“……왜 카토가 충격을 받는 거야?”

“그래요. 메구리의 인간성에 대해 논의하는 거니까, 메구미 씨가 충격을 받을 필요는 없지 않을까요?”

“……그렇다면 두 사람 다 그『미소3』같은 표정 좀 짓지 말아줄래?”

그 후에도 이『메구리08-2』표정 문제는 압도적 불리한 상황에서도 메구미가 끈질기게 저항하는 구도가 이어졌고…….

“그, 그러니까, 메구리는 확실히 친구를 소중히 여긴다고 생각해.”

“그런데 비율은 어떻게 되나요?”

“으음, 평소에는 9대1 정도로 우정이 압도적 우위야…….”

“『평소』에 그렇다는 말은 그렇지 않을 때도 있다는 거야~?”

“으음, 중요한 선택을 할 때는 그 비율이 반반 정도가 되는 것도…… 같은데…….”

“……메구미 씨, 그럼 결국 모든 중요한 선택을 반반 정도의 비율인 상황에서 결정한다는 거네요?”

“성가신 여자네~. 마음에 안 드네~.”

“으으…….”

“그러니까, 왜 메구미 씨가 침울한 표정을 짓는 거냐고요~.”

“메구리의 이야기를 하고 있는 거잖아~.”

“……두 사람, 이번에는 『미소6(사악한 미소)』 같은 표정을 짓고 있거든?”

결국, 이렇게 일방적으로 공격을 당하고 있는데도, 서브 디렉터는 최종적으로 뜻을 굽히지 않았다.

그래서 이 건은 『시나리오라이터의 최종적 판단에 맡기기』로 하며 보류됐다.

그런고로, 이 시점에서 이미 『시나리오라이터 없이 전부 완성시켜서 당사자를 싹싹 빌게 만든다』라는 당초의 목적은 박살나고 말았지만…….

이 자리에 있는 이들 중 그 누구도 그 목적을 기억하고 있지 않았다.

※ ※ ※

이벤트 번호 : 메구리13

종류 : 선택 이벤트

조건 : 12주차 일요일, 에리리10 발생 이후, 메구리를 선택했을 때 발생

개요 : 에리리를 간병했다는 사실을 숨긴 바람에, 메구리와 처음으로 다투고 만다

“질투한 거야?”

“질투한 건가요?”

“아냐. 절대 그런 게 아냐.”

저녁 식사와 휴식을 마친 후. 토요일 오후 여덟 시 경.

세 사람은 여전히 거실에서 잡담…… 아니, 게임 제작 회의를 하고 있었다.

“아까도 말했잖아? 메구리는 기본적으로 연애보다 우정을 우선하는 애야.”

“하지만…….”

“왠지~.”

“괜한 의심 하지 마. 에리리…… 으음~, 가명이 에리리인 이 히로인과 메구리는 절친이잖아?”

그녀들이 현재 플레이하고 있는 이벤트는 메구리와 주인공이 처음으로, 그것도 심각하게 싸웠던, 중반부의 전환기라 할 수 있는 중요한 부분이다.

……자세한 내용은 사실(史實)[6권 제7장]이나 과거의 내용 설명[11권 153페이지 이후]을 참조해줬으면 한다.

아무튼, 여기서 키포인트가 되는 것은 주인공이 소꿉친구 히로인이 과로로 쓰러졌다는 것을, 그녀의 절친이기도 한 메구리에게 이야기하지 않았다는 점이다…….

“그, 그것보다 여기서는 주인공의 행동을 지적해야 하지 않을까? 여기서 그가 취한 행동과 선택은 최악이니까…….”

“에이, 우리는 그런 거에 흥미 없어~.”

“정 알고 싶다면 주인공(토모야 선배)에게 물어보면 되니까요~.”

“으, 음~.”

……하지만 현재, 이 이벤트 장면에서 일러스트레이터와 작곡가가 문제시하고 있는 것은 원화에 표현되어야만 할 메구리의 표정, 그리고 멜로디도 자아내야 할 메구리의 심정이다.

“오히려 우리가 알고 싶은 건 메구리가 왜~ 이렇게 주인공에게 화를 냈냐는 거야. 나름 어쩔 수 없는 상황이었다고 생각하거든.”

“그래요. 아픈 거니까 어쩔 수 없잖아요. 게다가 상대는 소꿉친구라고요. 주인공이 침착하지 못한 것도 납득이 돼요.”

“당황해도 상관없어. 곁에 있어줘도 돼. ……하지만 메구리에게 미리 상의만 해줬다면…….”

“저기, 카토. 그건 메구리가 주인공에게 『자기를 특별하게 여겨라』 하고 말하고 있다는 거야?”

“그, 그런 게 아니라, 동료니까 당연히…….”

“하지만 『자기가 아니라 다른 히로인과 상의해도 괜찮다』고는 말하지 않았잖아요?”

“그래요. 그저 한결같이 『왜 자기와 상의하지 않은 거냐』 하고 끈덕지게 따지고 있잖아.”

“끈덕지게 따지지는 않았는데…….”

메구미는 딱 잘라 부정하고 싶었지만, 말이 목에 걸리기라도 한 것처럼 말끝을 흐리고 말았다…….

“끈덕진 것처럼 보인다고요~. 화해 이벤트는 게임 안에서 꽤 시간이 흐른 후에 발생하잖아요?”

“완전 지뢰 여자네~.”

“지, 지뢰……?”

“그렇잖아요. 자기는 연애보다 우정이 소중하다고 말했으면서…….”

“남자의 태도에 엄청 집착하고 있으니까 말이야. 영락없는 지뢰네.”

“우정을 소중히 여기니까 절친이 아프다는 걸 숨긴 그를 용서하지 못하는 거야.”

이번에는 단호하게 부정하고 싶었지만, 왠지 어조가 빨라지면서 목소리가 흔들렸다…….

“저, 저기, 그럼 주인공에게 물어보지 말고, 그 상대와 직접 연락을 취하면 되잖아요? 절친『이라는 설정』이니까요.”

“그, 그게, 상대는 나스 고원에 있어서, 전파가…….”

“뭐? 병원에 있는데?”

“……즈, 즉, 병실이라서 상대가 핸드폰을 꺼뒀다는『설정』이야. 응.”

「웬 나스 고원?」이라는 지당한 의문은, 다양한 사정을 고려해 아무도 언급하지 않았다.

“하지만, 그렇다면 상대한테서 연락이 없는 것만으로도

의심을 했어야 하는 거 아닌가요?"

"뭐……?"

……왜냐면, 더 크리티컬한 태클이 준비되어 있기 때문이다.

"맞아. 보통 절친한테서 부재중 전화기록이나 메시지가 와 있다면, 바로 연락을 취할 테니까 말이야~."

"바로 그거예요!"

"그러지 않았다는 건, 메구리가 아무리 우정~ 우정~ 하고 노래를 불러봤자~, 상대는 우정보다 남자를 우선했다는 거야~."

"그, 그…… 그런 거야?"

원래 그런 것은 『글쓴이의 배려 부족』 혹은 『스토리 진행을 위한 조작』 등으로 여기면 될 것이다. 이것은 픽션인 걸로 되어 있으니까…….

"아~, 그래도 저는 이 서브 히로인의 심정이 이해돼요."

"하시마 양은 그래~? 하지만 이 애도 나빠~!"

"잘잘못을 따지는 게 아니에요. 뭐랄까, 메구리에게 연락을 하지 않은 건 잘못이지만, 그래도 용서할 수 있을 것 같아요~."

"어~, 나는 용서 못해~. 주인공보다 이 애가 더 문제야……. 카토는 어떻게 생각해?"

"뭐? 으, 응?"

하지만 밤샘을 한데다, 평소보다 격렬한 정신 공격을 받아서 지칠 대로 지친 메구미에게는 평소처럼 「아~ 그렇구나~」 하고 얼버무리면서 도망칠 판단력이 존재하지 않았다.

"쓰러진 히로인 말인데, 솔직히 말해 새치기를 한 거잖아?"

"새, 새치기?"

"카토는 아까부터 주인공이 나쁘다고 말했지만, 이 애도 나빴어. 까놓고 말해, 이 애는 주인공을 좋아하는 게 틀림없을 걸?"

"그, 그게, 그러니까…… 하지만, 그건 처음부터 알고 있었어."

그러니까 『설정에 대한 인식』인지, 『현실의 경험담』인지, 구분하기 힘든 생생한 반응을 보이고 말았다.

"그걸 알고 있었다면…… 메구리는, 뭐 때문에 화가 난 거야?"

"뭐, 뭐 때문에……?"

그리고 그것들이 여자애들에게 있어서 각별한 연료가 된다는 것은 자명한 이치다…….

"진짜로, 순수하게, 주인공이 솔직하게 이야기해주지 않아서 용서할 수 없는 거야?"

"아, 응. 그야 물론……."

"그렇다면, 주인공이 솔직하게 「그녀를 좋아한다」고 말했으면 납득했을 거야? 주인공과 절친을 축복해줬을까?"

"어……."
"아~. 미치루 선배, 너무 깊이 파고드는 거 아니에요~?"
한 걸음 물러나서 본다면, 논점에서 완전히 벗어나 있었다.
그것도 그럴 것이, 주인공이 숨기고 있었던 것은 『절친과 사귄다』는 것이 아니니까 말이다.

"잘 이해가 안 된다면, 이 세 가지 선택지 중에서 하나를 골라봐.
1. 주인공이 솔직하게 말하지 않아서 화났다.
2. 실은 절친이 새치기를 해서 화났다.
3. 혹은, 주인공의 마음이 절친 쪽으로 기울어서 화났다."

"어? 어? 어어어어어~……."
"자아, 제한 시간은 30초!"
"우와아~, 이건 어렵네요~."
하지만 동요할 대로 동요한 메구미는 그 진상에 도달할 사고능력을 지니고 있지 않았다.

"10초 경과~."
"그, 그건…… 지, 지금은 모르겠어……."
"에이, 알 수 있잖아~. 아직 발매되지 않은 게임이거든? 이제부터 결정해도 돼~."

"그래요! 오답 같은 건 없거든요? 왜냐하면 메구미 씨의 대답이 곧 정답이니까요."

"그건 왠지 싫어."

"20초 경과~."

"자아, 자아, 메구미 씨."

"자아, 자아, 카토."

"이 대답은 게임 제작에 꼭 필요해요~."

"맞아! 카토의 결정이 그림과 음악에 반영되거든?"

"그러니 서브 디렉터가 게임의 방향성을 결정해줘야죠!"

"정말, 진짜, 자기들이 유리할 때만, 서브 디렉터, 서브 디렉터……."

"5! 4! 3! 2!"

"아아, 정말……. 두 사람 다 귀 좀 내밀어봐!"

이곳에 아무도 없는데도 불구하고…….

메구미는, 1년 가량 숨겨왔던…… 아니, 방금 생각한 설정을, 두 사람에게 말해줬다.

"우와아아아앗~! 이렇게 나올 줄은 몰랐어~!"

"생각했던 것보다 훨씬 공격적이네요~!"

"자, 잠깐만, 이건 어디까지나 『설정』이거든? 이야기가 재미있어지도록 해석을 했을 뿐이거든? 내 개인적 견해가 아니란 말이야!"

그 대답은 세 사람만의 비밀이니, 여기서 공개하지 않도록 하겠다.

하지만, 이 점만을 밝혀둘까 한다.

메구미의 대답은, 세 선택지 중 하나가 아니라…….

세 사람 중, 누가 얼마나 나빴는가에 대한 『비율』이었다…….

※ ※ ※

이벤트 번호 : 메구리19

종류 : 개별 이벤트

조건 : 메구리18 직후에 발생

개요 : 메구리와 주인공, 처음으로……

"이 이벤트에 대해서는 아무 말도 하지 않을 거고, 어떤 반응도 보이지 않을 거야."

"에이~!"

"너무 그러지 마세요~!"

시계의 시침과 분침은 곧 천장을 가리키려 하고 있었다.

즉, 심야가 된 것이다.

"그것보다 이제 일 좀 하자. 두 사람 다 아까부터 스케치와 작곡을 안 했잖아? 그저 나를 심문하며 떠들어대고만 있잖아?"

"아~, 아~, 해선 안 될 말을 하네~."

"크리에이터에게 『일 안 한다』는 말은 절대 해선 안 되거든요~? 그런 말을 하는 사람은 디렉터를 맡을 자격이 없거든요~? 의욕이 바닥까지 떨어지거든요~?"

합숙을 시작하고 여덟 시간 가량이 지났다.

합숙 개시 전에 말했던 『카노 메구리라는 캐릭터를 공유한다』라는 이념에 따라, 세 사람은 거의 쉬지도 않으며 논스톱으로 지금까지 완성된 메구리의 개별 시나리오를 검토하며, 여전히 흥겹게 잡담을 나누고 있었다.

그리고 메구리 시나리오도 현재 전달 받은 것 중 마지막 이벤트인 『메구리19』에 드디어 도달하면서, 이즈미와 미치루의 텐션도 그 피날레에 걸맞게 최고조에 도달했다.

아니, 최고조에 도달한 이유는 이 시나리오가 마지막이기 때문이 아니라…….

"하지만 키스 장면이잖아요! 키스 장면!"

……뭐, 그래서다.

"뭐, 모든 히로인한테 이런 장면이 있긴 하지만~. 역시 메인 시나리오는 엄청 힘이 들어갔네~!"

"맞아요! 그렇다니까요! 뭐랄까, 리얼리티가 넘친다고나 할까, 실제 체험담 같다고나 할까~!"

"……."

"……."

"……아무 말도 안 할 거라고 아까 내가 말했잖아?"

그렇기 때문에 메구미의 텐션은 엄청난 속도로 떨어지고 있지만 말이다.

"세세한 부분까지는 안 물어볼게! 『YES』나 『했다』 같은 식으로만 대답해줘도 돼!"

"시, 실제로 했나요? 이 시나리오의 키스 장면처럼, 진짜로 한 건가요~?!"

"미안하지만, 대체 몇 번 부정하면 더는 이 이야기를 안 할 건지를 미리 가르쳐줬으면 좋겠는데 말이야."

그리고 대조적으로, 메구미가 퉁명한 태도를 취하면 취할수록…….

"이렇게까지 확고하게 대답을 하지 않으려고 한다는 건~!"

"그건 YES라고 말하고 있는 거나 다름없죠~!"

……뭐, 이렇게 될 게 뻔하지만 말이다.

"아무튼 대답하지 않을 거야."

"에이~."

"어째서요~?"

"그야 했다고 말하든 안 했다고 말하든, 그건 정보 공개잖아? 내 비밀을 들킨다는 거잖아?"

"으, 음~."

"그, 그건……."

머릿속이 멍해진 메구미는 오래간만에 이치에 맞는 반론을 입에 담았다.

"그러니까, 이 이야기는 이제 그만……."

"……그렇다면, 카토는 토모와 키스를 했을 가능성을 의심당하는 게 당연하다고 생각하는 거지?"

"뭐……?"

하지만 이치에 맞기에…… 그 이치에 발목을 잡힐 수도 있는 것이다.

"부정했다간 자신의 비밀이 거의 다 밝혀진다고 생각할 만큼, 다른 사람들이, 토모와 카토가 사귀고 있다고 생각한다는 걸, 이미 인식하고 있는 거지?"

"효, 효도 양……?"

"으음. 미치루 선배, 그게 무슨 말인가요……?"

미치루가 그녀답지 않게 빙빙 돌려서 말하자, 메구미는 얼굴이 새파랗게 질렸고, 이즈미는 영문을 모르겠다는 표정을 지었다.

"즉, 카토는 방금 태도를 통해 『키스를 했든 안 했든, 토모가 진짜로 좋아하는 사람은 자기 뿐』이라는 걸 은연중에 드러내려고 한 거야."

"효, 효도 양? 자, 잠깐만 있어봐."

"어, 어, 어어어어어……? 그, 그렇게 되는 건가요~?"

미치루의 그 날카로운(그렇게 느낀다는 것만으로도 메구미는 미치루의 말을 긍정하고 있다는 건 제쳐두고) 지적, 그리고 그녀『답지 않은』 완곡적인 표현이 메구미가 느끼고 있는 공포심과 위화감을 증폭시켰다.

그러고 보니, 방금만이 아니라 미치루는 오늘 밤부터 계속 이상했다.

날카롭고, 끈질기며, 메구미의 아픈 곳만 계속 찔러댔다.

아니, 기억을 되짚어보니 오늘 밤만 그랬던 게 아니다.

그렇다. 그녀는 어제 카페에서부터…….

"……잠깐만 있어봐."

메구미는 그 생각의 미로에 빠져들기 직전, 자신이 느끼고 있는 위화감의 정체를 알아낼 단서를 겨우 발견했다.

"효도 양, 그 이어폰……."

"뭐?"

미치루가 아까부터 이어폰을 귀에 꽂고 있다는 것은 메구미도 알고 있었다.

하지만 기타를 친 후에 빼는 걸 깜빡했을 뿐이라고 생각했다.

그러나 지금 이 순간, 메구미의 마음속 목소리는 그런 그녀의 인식에 멋들어진 경고를 했다.

『언제부터 이어폰이 기타에 연결되어 있다고 착각한 거지?』

"……그걸로, 뭘 듣고 있는 거야?"

"최, 최신 애니송이야!"

그렇다. 유심히 보니, 그 이어폰은 스마트폰에 이어져 있었다.

즉, 기타 소리가 새어나가는 것을 막기 위해 이어폰을 끼고 있는 게 아니었다.

"게다가, 티셔츠에 붙어 있는 그 이어폰 마이크……."

"어? 어? 어?"

"미치루 선배……?"

그리고 메구미는 아까부터 계속 눈에 들어왔던 무언가를 유심히 쳐다보았다.

그것은 미치루가 입은 티셔츠의 목 부분에 클립으로 고정되어 있는, 조그마한 마이크…….

"효도 양, 혹시……?"

"무, 무, 무…… 무슨 소리를 하는 건지 모르겠네~."

메구미의 머릿속에서는 엄청난 기세로 퍼즐이 맞춰지고 있었다.

미치루의 추궁이 날카로워진 것은 분명 어제부터다.

그리고 그때, 『카토 메구미 설득 계획』이라는 각본을 통해 미치루를 몰래 조종하고 있던 사악한 시나리오라이터의 존재를 확인했다.

"……이어폰 좀 줘봐. 마이크도 말이야."

"따, 딱히 특이한 곡을 듣고 있는 건 아니거든~?"

"잔말 말고 내놔."

"……예입."

그럼 아까 전의 미치루답지 않은 날카로운 추궁도, 짜증나는 말 돌리기도…….

어제와 마찬가지로, 아니, 어제보다 더 교묘하게 꾸며진 함정이라면……?

"으음, 여보세요? 제 말 들리나요…… 카스미가오카 선배?"

『현재, 이 회선은 쓰이지 않고 있습니다~.』

"윽……."

"어, 어? 미치루 선배, 뭐가 어떻게 된 거예요~?!"

귀에 익은(우타하) 목소리와 시치미 떼는 듯한 대답을 들은 순간, 메구미는 뭐가 어떻게 된 것인지 전부 이해했다.

지금까지의 심문은 전부 『취조의 우타 씨』의 짓이었다는 사실을…….

어느새, 그 교활한 암흑 작가의 시나리오 안에서, 여덟 시간 넘게 놀아나고 말았다는 사실을…….

"효도 양……."

"아, 아, 아하하~. 실은 말이야~. 꼭~, 우리 게임의 제작을 돕고 싶다는 부탁을 받았거든~."

"하암…… 그럼 실은 저희 셋이 아니라, 쭉 넷이서 회의를 하고 있었던 건가요~?"

"왜, 이런 짓을……."

"그, 그게…… 토모가, 저쪽에 가버렸잖아? 그래서 선배는 카토한테 미안하다고 생각하고 있는 것 아닐까?"

"으……."

「그럼 왜 미안함을 저를 궁지에 몰아넣는 것으로 보답하려 하는 거죠?」라거나, 「이건 은혜를 원수로 갚는 거잖아요?」 같은 말이 금방이라도 입에서 터져 나올 것만 같았지만…….

"……배려해줘서 고마워요, 카스미가오카 선배."

그래도 메구미는 그런 푸념이나 의문 대신, 진심어린 감사의 말을 입에 담았다.

"그럼, 이대로…… 제작 회의를 계속하자."

"어?"

"저, 정말요……?"

또한 메구미는 배제나 무시가 아니라, 우타하를 받아들이기로 결심했다.

"그럼 이번에는 내가 질문할게. ……나와 토모야 군이 사귄다고 생각해?"

"아아아아아아아아아아아아아아아아~~~!"
"히이이이이이이이이이이이이이이익~~~!"
……아니, 우타하와 정정당당하게 맞대결을 펼치기로 결심했다.
그런 결심을 할 정도로, 열 받은 것이다.

"……."
"……."
"……."
이즈미의 집 거실을, 침묵이 지배했다.
날선 분위기가 전원의 목을 마르게 만들었다.
하지만 침을 삼키는 소리조차 크게 울려 퍼질 듯한 침묵을 깰 용기는 아무도 지니지 못했기에, 그 침묵은 또 몇 초 동안 이어졌고…….
"그 질문 말인데…… 대답하면 물론 정답을 가르쳐주는 거지?"
이윽고 입을 연 이는 미치루…….
"정답을 알려주는 거지……?"
아니, 그것은 미치루의 입을 빌린, 원격 공격이었다.

"딱히, 사귀고 있진 않아…… 『아직은』."

"우와아아아아아아아아아아아아아아아아아~~~!"
"흐으으으으으으으으으으으으으으으으으윽~~~!"
그리고 메구미 또한 그 미사일을 예측하고 선제공격을 감행했다.

"자, 잠깐만 선배…… 그런 말은 직접 해~!"
이런 날선 분위기를 견디다 못한 미치루가 스마트폰에서 이어폰을 빼더니, 폰을 세 사람 사이에 뒀다.
『거만한 대답을 들려줘서 정말 고마워, 카토 양…….』
그리고 스피커 모드가 된 스마트폰에서는 우타하의 추궁하는 듯한 목소리가 흘러나왔다.
"……그렇게 거만하게 들렸나요?"
『그야 그 말을 우리에게 했다는 건, 다른 사람에게는 가능성이 없다고…… 자기가 한 발 앞서고 있다고 여긴다는 소리잖아?』
"그건……."
『동료라도 절친이라도 봐주지 않겠다는 소리잖아……?』
"……."
『…….』

그리고 또 침묵이 흘렀다.

하지만 그 누구도 정적이 흐른다고 여기지 않았다.

왜냐하면 이곳에서는, 아니, 이 자리에 있는 모든 이들의 머릿속에서는, 두 사람이 주도권을 쟁탈하기 위해 난투극을 벌이는 소리가 울려 퍼지고 있었던 것이다.

"메구리는……."

『메구리……?』

"예, 메구리 말이에요."

그리고 다시 입을 연 순간…….

메구미는, 자기주장의 강도를 절반 정도로 약화시키더니, 또 작품 속의 등장인물에게 포지션을 양보했다.

"메구리는, 동료가 소중해요. 절친을 좋아해요.

…………그런 『설정』이에요."

"미술부인 절친은, 이러쿵저러쿵해도 걱정이 되어서, 한시도 눈을 뗄 수가 없어요.

신입생 후배의, 매사에 긍정적인 면을 동경해요.

경음악부인 동급생의, 밝은 성격과 대범함에 질질 끌려 다니죠.

하지만 학 학년 위인 선배는, 자신의 다양한 면을 꿰뚫어

보기 때문에, 좀 거북하게 여겨요."

"하지만 카스미가오카 선배…… 이건, 미소녀게임이에요.
주인공과 히로인의, 사랑이야기예요."

"그러니까, 히로인은 언젠가 주인공을 좋아하게 되어야…….
친구와 주인공을 저울에 올려놓고, 주인공을 고르는 선택을 해야만 해요.
그게, 메인 히로인의 사고방식이에요.
……이것도, 그런, 『설정』이에요."

음성 통화, 카스미가오카 선배, 통화 종료하지만, 캐릭터에게 양보한, 그 메인 히로인이라는 포지션을…….
다른 실존 인물에게 결코 넘기지 않았다.

"으음, 즉, 메구미 씨는 아니지 메구리는……."
"누구에게도, 주인공을 넘겨주지 않는다는 거야? 절친에게도, 후배에게도, 동급생에게도, 선배에게도?"
"응……."
그것은, 마치 한숨처럼, 소리도, 의도도 작디작은 대답이었지만…….
그래도 이 순간, 그녀의 촉촉한 눈동자와, 젖은 입술, 붉어진 볼 등, 전체적인 표정의 밸런스는…… 완벽하게, 메인 히로인 그 자체였다.

그래서, 이즈미와 미치루는 자신들이 이 자리에 있다는 행운, 그리고 그 탓에 자신들의 담당 파트가 얼마나 더 어려워졌는지 깨달을 수밖에 없었다.

그것도 그럴 것이, 이렇게 귀엽고 아름다우며 요염한 메인 히로인을, 2차원에서 재구축해야만 하는 것이다.

『주인공을, 용서할 거야?
몇 번이나, 메구리를 배신했잖아?
이미 걷어찬 히로인을 못 본 척 하지도 못하는데?』

"메구리는 말이죠…… 분명, 그런 여자애예요."

우타하의…… 아니, 선배 히로인의 그런 심술궂은 추궁에도…….

메구리는 쓴웃음을 지으며 체념어린 표정을 지었다.

"뭐, 그걸 눈치채게 해준…….
아니, 강제로 알려준 참견쟁이들에게는,
여러모로 할 말이 있지만, 말이에요."

카스미가오카 선배
통화종료

……그 표정을 만들기 위해, 얼마나 많은 사람의 힘을 빌리고, 얼마나 많은 시간을 들여야 할지, 충분히 자각하면서도 말이다.

"카노 메구리라는 캐릭터는 말이야…….
딱히, 상대가 엄청난 미남이 아니라도 돼.
누구보다도 깊은 애정을 자신에게 쏟아주지 않아도 돼.
평범해도 돼.
하지만, 조금은 평범하지 않아도 괜찮아."

"민폐 덩어리라도, 괴짜라도, 눈치가 없는 사람이라도…….
왠지, 싫지만 않으면 괜찮아.
그런, 느낌만 받을 수 있어도 괜찮은 거야."

사실, 그녀들이 만드는 게임의 주인공은 평범하지 않……지는 않았다.
적당히 잘생겼고, 적당히 스포츠를 잘하며, 적당히 공부를 못한다.
미소녀게임에서 흔히 볼 수 있는, 범용적인 『어디에나 있을 법한, 호감을 가질 수 있는 주인공』인 것이다.

그러니, 메구미가 이야기하는 주인공은, 게임의 주인공과 명백하게 달랐다.

그 주인공은, 메구리가 좋아하게 될 주인공이 아니었다.

"싫지 않으니까 어쩔 수 없잖아.

남들이 보기에 이상하더라도, 어울리지 않더라도,

딱히, 싫지 않으니까 어쩔 수 없어."

"이런 건, 처음이니까, 그래도 괜찮아.

어쩌면, 다음에는 더 싫지 않은 사람이 나타날지도 몰라.

하지만 그 다음을 위해서, 지금의 이 즐거움을 놓친다고 하는 모험을 하고 싶을 리가 없어."

"왜냐면, 나는 귀찮은 게 싫은걸.

나, 요즘 들어 귀찮은 애라는 말을 자주 듣지만,

나는, 귀찮은 게 싫단 말이야."

그리고 방금 『메구리』라고 말해야 하는 부분에서, 다른 단어를 입에 담았지만…….

그래도 메구미는, 정정하는 게 귀찮아졌다.

"저기, 카스미가오카 선배……."

그래서, 어디까지나 게임 속의 캐릭터에서 질문을 던져야 한다는 점도 생략했다.

"당신에게 있어, 토모야 군은 매우 특별한 사람일지도 몰라. 하지만 나한테 있어서는 전혀 특별하지 않았어. 평범했어. 그래서, 나는 그를 좋아하게 된…… 거야."

"납득이 안 갈지도 몰라. 나에게 반감을 가질지도 몰라. 하지만…… 진짜로 그런 걸 어떻게 하냔 말이야."

『…….』
"……."
"……."
그리고 또 주위에 침묵이 감돌았다.
"아하, 아하하……."
이윽고, 메구미의 자학적인 웃음소리가 작게 울려 퍼지기 시작했다.
"미안해. 왠지…… 나, 사고 친 것 같아……."
『괜찮아. 애초부터 이걸 노린 거였어.』
"뭐, 이렇게 솔직하게 털어놓을 줄은 몰랐지만."
"진정한 메구리…… 두 눈으로 똑똑히 봤어요."
"아하하…… 후, 후후……."

그리고 둑이 허물어진 것처럼, 메구미의 감정이 서서히 서서히…….

미소에서, 다른 무언가로…….

"으, 흐, 흐흑……."

구체적으로 말하자면 슬픔으로, 분함으로, 쓸쓸함으로…….

"그런데, 그런데……."

콧소리와 눈물과 흐느낌으로…….

"나, 이런 『설정』인데…….

왜, 내 시나리오에는 『전(轉)』 같은 게 있는 걸까……."

"왜, 메인 히로인이 슬픔에 빠지는 게, 나락으로 떨어지는 게,

재미있다고, 여겨져야만, 하는 걸까……."

이제야, 구구절절하게 느껴졌다.

현재, 이 합숙을 하고 있는 장소가 『평소의 그곳』이 아니라는 사실이…….

현재, 이 합숙에 『평소의 그 사람』이 참가하지 않았다는 사실이…….

그에게 있어, 당연한 듯이 곁에 있는 존재인 자신이 이곳에 있는데…….

항상 그녀를, 당연한 듯이 자신의 곁에 두던 거만한 그

가…….

왜, 평소처럼, 그 짜증나는 존재감을 드러내지 않는 것일까…….

"행복을 움켜쥐기 위한 시련 같은 건, 몰라.

딱히, 거창한 행복 같은 건 원하지 않아.

시련이 있기에, 그 너머의 해피엔딩을 더욱 곱씹을 수 있다는 거야?

그런 건, 그런 건, 좀 아니지 않을까……."

"안전해도 돼. 평범해도 돼.

그 대신, 행복 또한 아주 조그마해도 돼.

그러니까……『전』같은 건 필요 없었는데……."

"흑, 으, 흐흑…… 우에에에엥……."

어느새, 흐느낌은 흐느낌이 아니게 되었다.

메구미는 눈물을 펑펑 흘리면서 꼴사납게 훌쩍이더니, 내용도, 목소리도, 최악인 울음소리를 토했다.

그리고 메구미를 둘러싼 이들은 그런 그녀의 통곡을, 어떤 이는 당혹스러운 표정으로, 그리고 어떤 이는 동경하는 듯한 표정으로 응시했고…….

『당신이 울음을 터뜨려봤자, 나는 그 어떤 감회도 느껴지지 않아.』

그리고 어떤 이는, 표정이 보이지 않지만, 그런데도 어떤 표정을 짓고 있는지 확실히 알 수 있을 만큼, 확연한 짜증이 어린 목소리로 그렇게 말했다.

"잠깐만, 선배……."

『왜냐면, 자기 루트의 시련은 자기가 어떻게든 할 수 있잖아.』

말리려고 하는 미치루의 말도 무시한 우타하는 울음을 터뜨린 메구미를 향해 단호한 어조로 그렇게 말했다.

『10년이야. 그 녀석과 만나고, 벌써 10년이나 흘렀단 말이야…….』

『그런데, 어째서? 어째서? 어째서?』

왜냐하면, 그녀는…….

더욱 격렬하고, 진정한 의미에서 슬픈 통곡을 이미 들었던 것이다.

※ ※ ※

『카토 양, 프로의 입장에서 이것만은 가르쳐줄게…….』

그리고 우타하의 목소리가 스마트폰에서 다시 흘러나오는 데는, 3분 가량의 시간이 걸렸다.

『당신은 이야기에 「전」이 꼭 필요하냐고 물었지?』

메구미가 조금 진정했을 즈음에 들려온 그 목소리는 아까보다 약간 차분했으며, 아까보다 약간 상냥했다.

『대답은…… 있어도 되고, 없어도 돼. 그건 이야기의 신이 멋대로 정하는 거야.』

하지만, 그 내용은 여전히 약간 신랄했다.

『그저, 당신의 이야기에는 우연히 그게 있었을 뿐이야.

그건, 심술궂은 창조주가 용의주도하게 준비한 것일지도 몰라.

혹은, 운명의 신이 변덕을 부려서 돌발적으로 발생한 걸지도 몰라.』

『하지만, 그 자리에 있는 우리…… 캐릭터에게 있어서는

그것은 그저 일상적으로 일어난 「사실」에 불과해.』

『그 사실을 한탄하든, 부정하든, 아무 것도 시작되지 않아.

그저 묵묵히 해피엔딩을 향해 걸어가기만 하면 돼.

지금 벌어진 「전」을 평범한 노력으로 뛰어넘으면 되는 거야.

그건, 그저 일상적인 일에 불과해.』

우타하의 격려로도, 될 대로 되라는 소리처럼도 들리는 그 말을…….

메구미는 묵묵히 듣고 있었다.

『당신은, 그럴 수가 있는데…….

아니, 당신만이 그럴 수가 있는데…….

그런데, 이 정도 일로 툭하면 우물쭈물하는 거야? 정말 짜증나는 여자애라니깐…….』

"그 말은, 메인 히로인 실격이라는 소리인가요……?"

그녀가 하는 말은 하나같이 올바르고, 정곡을 찌르며…….

또한, 하나같이 짜증을 유발시켰기 때문이다.

"실격이라도 괜찮아, 카토."

"저희가, 전력으로 떠받쳐드릴게요."

"하시마 양의 그림과 내 BGM으로 완벽하게 얼버무려 줄게."

"얼버무리는 거구나……."

"여배우의 화장 같은 거니까 세이프예요!"

"그리고 진짜 카토는 완전 위험하잖아? 이런 스텔스 지뢰 여자는 흔치 않거든?"

"뭐, 그래요. 부정은 못하겠네요."

"부정은 못하는 구나……."

참고로 동료들의 격려인지 매도인지 분간이 안 되는 성원도 하나같이 그녀의 신경을 건드렸고, 낯 뜨겁게 했지만…….

뭐, 그건 그것이고, 이건 이거다…….

『자, 카토 양은 어떻게 할래?』

"그게 무슨……."

『윤리 군을 돌려받고 싶어?』

"저기, 토모야 군은 애초부터 『blessing software』의 것이에요."

『으음~ 좀 더 솔직한 말을 듣고 싶네.』

"그러니까, 토모야 군은 내…… 꺼, 아, 그러니까, 으음, 저기……."

처음에는 힘찼지만, 점점 잦아들어가던 그 선언은…….

결국 증거로서의 효력이 없을 정도로 작아졌다.

하지만, 그 내용에 대해 추궁을 할 만큼 눈치 없고 용기 있는 인간은 이 자리에 없었다.

에필로그

그리고 역시, 13권 프롤로그

"우와, 벌써 어두워졌네~."

"이즈미, 뛰지 마. 이 언덕을 뛰어 내려가다간 멈춰 설 수가 없어."

"배고파~! 선배, 어디서 뭐라도 먹고 안 갈래?"

"그건 괜찮지만, 카레는 사양하겠어."

"아~, 정말, 죽은 듯이 잠들고 싶어~."

"그럼 다들 잘 가~!"

일요일 오후 여덟 시.

하지만 게임 제작(제12.7.5화) 합숙의 다음날이 아니라, 그 다음 주 일요일.

……그래도 역시 게임 제작(12권 제9장) 합숙을 마친 후.

사실을 털어놓자면, 오늘 한 것은 서클 합숙이 아니라 상업 게임의…… 『필즈 크로니클XⅢ』의 제작 합숙이다.

그런 고로, 지금 자신의 집 현관에서 차례차례 돌아가고 있는 다섯 명을 배웅하고 있는 집주인은, 『blessing software』와 『주식회사 코슈 기획(단 외주)』의 혼성팀의 멤버였다.

빠른 걸음으로 언덕을 내려가는 이즈미를, 이오리는 허둥지둥 쫓아갔다.

그런 두 사람의 뒤편에서는 우타하와 미치루가 나란히 걷고 있었다.

다른 이들과는 반대로 언덕을 올라간 에리리는 3분 만에 자기 집에 돌아갈 것이다.

그리고 그런 멤버들을 현관 앞에서 손을 흔들며 배웅하고 있는 이는, 이번 권에서는 처음 등장한 아키 토모야다.

사립 토요가사키 학원의 3학년이자, 게임 제작 서클 『blessing software』의 주재자 겸 시나리오라이터이며, 또한 합숙 장소의 제공자일 뿐만 아니라, 메구미에게 있어서는 『배신자』(하지만 『일단』 화해 완료).

또한 함께 합숙에 참가했는데도, 지금 이 자리에 메구미가 없는 건…….

뭐, 좀 타이밍이 어긋났다고나 할까, 약간 새치기를 했다고나 할까…….

아무튼, 그 일은 일단 제쳐두기로 하고…….

※ ※ ※

"그건 그렇고, 이즈미. 어떻게 됐어?"

"……응. 완벽해!"

앞장서서 언덕을 내려가던 이즈미를 겨우 따라잡은 이오리가 여동생과 나란히 선 순간, 두 사람은 의기양양한 미소를 지었다.

……하지만, 한 사람은 사악함으로 범벅이 되어 있고, 한 사람은 순수하기 그지없는 『의기양양한 미소』를 지었다는 게 여러모로 깊은 맛을 자아내고 있었다.

"그럼 훔친 거지? 카시와기 에리의 테크닉을 말이야……."

"응! 훔쳤어! 사와무라 선배의 방식을 완벽하게 이해했어!"

이오리가 코슈 기획 측에게만 메리트가 있는 이 합동 합숙에, 이즈미를 비롯한 서클 멤버 전원을 참가시킨 것은…… 물론 그쪽 게임을 빨리 완성시켜서 토모야를 되찾는다고 하는, 서클을 위한 목적도 있었지만…….

그것 이외에도, 아니, 그것 이상으로 『신급 일러스트레이터 카시와기 에리의 제작방식을 접하면서, 이즈미를 극적으로 성장시킨다』라고 하는, 서클과 여동생과 자신을 위한 목적 때문이었다.

"실은 말이지. 그녀의 작풍을 매뉴얼화할 수 없을지 고심 중이야. 그렇게만 된다면 내 휘하에 있는 일러스트레이터 전원에게 그걸 마스터하게 한 다음, 언젠가는 내가 이끄는 카시와기 에리 스타일 일러스트레이터 군단으로 업계를 석권……."

"……오빠, 오래간만에 엄청 음흉한 짓을 꾸미고 있네."

"뭐, 굳이 따지자면 이게 더 나다운 짓이지만 말이야."

그렇게 말한 이오리는 코사카 아카네 뺨칠 만큼 음흉한 미소를 지었다.

"토모야 군은 인의 같은 걸 소중히 여기니까 좀처럼 가르쳐주지 않는데다, 일러스트레이터가 아니니까 그녀의 방식을 거의 이해하지 못해. 그러니까, 오늘 이즈미를 이 합숙에 참가시킨 거야."

"게다가 그 음흉한 짓에 여동생을 이용하다니, 진짜 악랄하기 그지없다니깐……."

"아무튼 집에 돌아가면, 잊기 전에 기억하고 있는 걸 적어둬. 그녀는 어떤 기술을 선보였지? 사용하는 소프트는 뭐야? 많이 사용하는 커맨드는? 특히 그 회화 터치의 이펙트가 신경 쓰이는데……."

"딱히 세세하게 이야기해줄 만 한 건 없어. 내가 이해한 것 딱 하나 뿐이거든."

"딱 하나…… 그게, 뭐야?"

"그건 말이지……. 『카시와기 에리의 방식은 전혀 참고가 안 된다』는 거야."

"……뭐?"

하지만 이오리는 이즈미가 가볍게 입에 담은 말을 듣더니, 입가를 말아 올린 채 그대로 얼어붙어버렸다.

"그 사람의 작업 방식은 정말 아날로그틱했어. 아마 오빠가 디지털로 했다고 생각하는 부분도 대부분 붓으로 그린 걸 거야. 그림을 디지털로 변환한 후에는 거의 손도 안 댔다니깐?"

"잠깐만, 이즈미. 나를 너무 무시하지 말아줄래? 나는 일러스트레이터가 아니라서 이즈미만큼 잘 알지는 못해. 하지만 그렇게 정교하고 정확한 터치를, 디지털 처리 없이 실현할 수 없다는 것 정도는……."

"…………."

"……진짜야?"

"그래서, 나한테도 숨기지 않았던 거야. 사와무라 선배는…… 남이 자기 방식을 흉내 낼 수 없다는 걸 알고 있는 게 분명해."

"그게…… 진짜야?"

"그건 그야말로 다른 차원의 방식이야. 아날로그로 그런 처리가 가능하다니 완전 괴물 아냐? 흉내 내고 싶다면, 그 사람의 제자가 되어서 배울 수밖에 없을 거야."

"맙소사……."

그렇게, 담담히, 묵묵히, 솔직하게 패배를 인정하는 이즈미의 태도를 본 이오리는…… 등골이 오싹해지는 것을 느꼈다.

그것도 그럴 것이, 이즈미는 예전에 카시와기 에리 때문에 마음이 꺾여서, 슬럼프에 빠진 적이 있는 것이다.

그리고 현재, 그 슬럼프를 극복하고 더욱 성장한 지금이라면 괜찮을 거라 믿으며 보낸 여동생이 초절정 일러스트레이터의 변태 테크닉에 완전히 매료된 나머지, 약이라도 한 듯한 표정을 지으며 양손으로 브이 사인을 날리는 모습이 실린 비디오를…… 아, 그게 아니라…….

"그래도 걱정하지 마, 오빠."

"이, 이즈미……?"

하지만 이즈미는 당황한 이오리를 힘찬 눈빛을 머금은 눈동자로 응시했다.

"그래도 나는 카시와기 에리한테서, 엄청난 것을 훔쳤거든……."

"어? 그, 그게 뭔데……?"

이즈미의 수수께끼를 듣고 여러 해답이 머릿속에 떠오른 이오리는 기도하는 듯한 심정으로 동생을 응시했다.

"그건…… 열정이야, 오빠!"

"아, 아하~. 그렇구나."

"몇 번을 쓰러지든, 다시 일어서서 달려드는 마음을, 훔쳤어.

그 사람이 코사카 아카네한테서 훔친 걸 나도 훔쳤단 말이야."

"하하…… 그렇구나. 이즈미, 잘 됐네."

안심과 허탈감, 놀람 등의 감정을 복잡하게 느끼면서도…….

이오리는 어찌어찌 쓴웃음을 짓는데 성공했다.

왜냐하면, 그것만큼은 이오리가 그 어떤 계략을 꾸민들 여동생에게 줄 수 없다.

마음이 깨끗한…… 아니, 아무리 마음이 더럽더라도, 죽을힘을 다해 앞을 바라보는 이만이, 계승할 수 있는 것이다.

"그럼…… 다음은 우리 차례구나, 이즈미."

"맞아, 오빠……."

"『blessing software』는 이제 절대 꺾이지 않아……. 언젠가 동인업계를 제패한 후, 당당하게 상업으로 쳐들어가자고."

"토모야 선배가 그러려고 할까? 그것보다, 메구미 씨가 그때까지 우리에게 함께해줄까?"

"으, 으음~, 그것도 그러네. 말을 쏠 거면 우선 장군부터 노려야겠지."

"오빠, 말과 장군이 바뀌……지는 않은 것 같네."

※ ※ ※

"수고했어~, 선배."

"나는 이번에 딱히 아무 것도 하지 않았어……."

언덕 중간 즈음에서, 미치루는 평소와 마찬가지로 활기찬 목소리로 우타하의 노고를 치하했다.

"무슨 소리를 하는 거야~. 선배는 지난주부터 우리 쪽을 엄청 신경 썼잖아."

"흐음, 그게 무슨 소리…… 뭐, 그 바람에 당신을 마구 휘둘러 대서 미안해."

우타하는 살짝 시치미를 떼려고도 했지만, 이번 일에서 제일가는 소식통…… 아니, 제일가는 관계자에게 그래봤자 소용없다는 사실을 깨달았는지, 미치루의 노고를 치하하는 말을 건넸다.

"괜찮아~. 어차피 내가 카토를 설득하는 건 무리잖아. 서클을 위해서라도 선배가 나서주는 편이 가장 났다고 판단했을 뿐이야."

하지만 미치루가 말한 것처럼 이 일주일 동안 서클 문제에 가장 열성적으로 개입한 사람은 다름 아닌 우타하였다.

메구미와 토모야의 사랑 싸…… 문제를 해결하기 위해, 메구미를 합숙에 끌어들이고, 그녀의 (좀 과했다고는 해도) 본심을 들을 수 있었던 것은 우타하가 겨우 몇 시간 만에 쓴 시나리오 덕분이었다.

그리고 메구미가 (좀 삐치기는 했지만) 솔직해질 수 있었던 것도, 우타하가 다방면에서 손을 썼기 때문이다.

양측의 게임 제작 스케줄을 파악하고, 화해를 위해 두 팀이 합류할 수 있도록 일정을 짰으며, 여전히 삐친 메구미를 설득해서 홀로 토모야를 찾아가게 하기까지 했다.

"개인주의자인 선배답지 않기는 했어……. 아니, 일편단심 토모인 선배답지 않다는 말이 더 정확하려나?"

"좀 우회적이기는 해도, 결국 나를 위해서 한 일이야."

"그래?"

"솔직히 말해, 『필즈 크로니클XⅢ』을 완성시키기 위해서는 그라는 인재가 꼭 필요했어. 그런 그의 의욕을 유지하기 위해서는 서클을, 카토 양을…… 그가 돌아갈 장소를 지킬 필요가 있었어. 그게 다야."

"뭐, 그걸 위해서 꽤나 악랄한 짓을 벌였지만 말이야. 나를 복종시키고, 카토를 도발한데다, 다른 사람들을 절벽에서 밀어버리기까지 했잖아……."

"……작전을 성공시키기 위해서는 다소의 희생을 감수해야만 해."

"내 눈에는 일대가 불타버린 허허벌판처럼 보이는데 말이야."

미치루답지 않게 가시가 돋친 그 말에 우타하는 자신보다 키가 큰 소녀를 짜증어린 눈길로 올려다보았다.

"뭐, 됐어……. 선배는 자기를 포함해 전원을 흔적도 남지 않을 만큼 완벽하게 태워버렸으니, 불평을 할 여지가 없어."

하지만 미치루답지 않게 정곡을 정확하게 찌르는 그 말을 들은 우타하는 다시 자신의 발치를 향해 시선을 돌렸다.

"저기, 선배……."

"왜?"

"……이제, 울어도 돼."

"으……."

그리고, 미치루답지 않게…….

덜렁이에, 쾌활해서, 우타하가 거북해 하는 그녀의, 그런 배려로 가득 찬, 안타까운 말을 들은 우타하는…….

"……미안하지만, 나는 아직 포기하지 않았어."

"그런 소리를 용케도 하네……."

이번에는 반대편으로 고개를 돌리더니, 별이 반짝이고 있는 깨끗한 밤하늘을 올려다보았다.

"방금 그게 허세더라도, 역시 울 필요는 없어."

우타하가 그 말을 쥐어짜낸 것은, 밤하늘을 올려다보며 10초 이상 센 후였다.

"확실히 괴롭지만, 생각했던 것보다 슬프지만…… 그래도, 그에 버금갈 만큼 기쁘고 즐거운 일이 잔뜩 있었어."

"……………………그랬구나."

그리고, 우타하가 시간을 들여 전한 그 마음에…….

미치루 또한, 비슷한 시간을 들여서, 답했다.

"그의 곁에 있었기 때문에, 다른 사람과 이어질 수 있었어.

이어진 사람들과 같은 꿈을 꾸면서 같은 기쁨을 맛볼 수 있었어.

무엇보다, 일생의 친구라 할 수 있는 소중한 동료가 생겼어.

좀 악우 같고, 허물없이 대할 수 있는 동료도 생겼어.

……3년 전 흑발 롱헤어 설녀라 불렸던 여자에게는 과분한 3년 후야."

"……그 말, 사와무라한테는 비밀로 해줄게."

그리고 더욱 많은 시간과, 말을 포개서 자아낸 우타하의 마음에…….

미치루는, 우타하의 등을 거세게 두드리는 것으로 답했다.

"아프잖아."

우타하에게 그 스킨십은 좀 지나쳤던 것 같았다.

"뭐~, 좋아. 오늘은 내가 한 턱 쏠 테니까 마음껏 먹어, 선배."

"이 시간에 과식을 할 순 없어. 살찌거든."

하지만 두 사람은 더 멀어지지도, 가까워지지도 않았다.

"선배도 운동 좀 해. 맞다. 다음에 밴드 연습에 참가 안 할래? 살이 쫙쫙 빠질 거야."

"됐어. 당신처럼 대식가가 되고 싶진 않아."

악우 같은 거리감을 유지한 채, 같은 길을 걸어갔다.

적어도, 한동안은 말이다.

"참고로 나는 토모한테 애인이 생기든 말든 상관없어."

"그래?"

"이제까지처럼 토모네 집에 쳐들어갈 거고, 밴드 매니저도 계속 해달라고 할 거야……. 가족이니까, 쭉 이어져 있을 수 있거든."

"……좋을 대로 해."

"뭐, 딱히 선배에게 허락을 받을 필요도 없지만 말이야~."

"……."

"……."

"저, 저기, 효도 양? 때때로라도 괜찮으니까, 내가 그의 집에 갈 구실이 되어주지 않을래? 당신과 그의 집에서 만나기로 했다고 말을 맞추든가 해서 말이야."

"어이, 진짜로 포기 안 한 거야?"

※ ※ ※

"우와……."

커다란 나무에 등을 맡긴 채, 잔디 위에 앉아서 하늘을 올려다보니, 도쿄에서는 1년에 며칠 보기도 힘들 만큼 맑은 밤하늘이 펼쳐져 있었다.

에리리는 가방 안에서 서둘러 스케치북과 연필을 꺼내더니, 그 별들을 열심히 종이에 옮겼다.

……방금까지 그렇게 그림을 그렸는데…….

죽은 듯이 자고 싶다고 생각했는데…….

다들 자기 집, 아니, 역에 도착하기도 전에 에리리는 자신의 집에 도착했다.

그리고 문을 지나, 조금 떨어진 곳에 있는 저택을 향해 걸어가다…….

별생각 없이 멈춰 서서 하늘을 올려다본 덕분에, 지금 그녀의 새하얀 스케치북은 어느새 풍경화로 변했다.

그녀의 등을 지키는 나무는 하늘을 향한 그녀의 시선 중 일부를 가렸고, 나뭇가지 사이로는 반짝이는 별들이 보였다.

그 절묘한 악센트를 환영하듯, 그녀의 연필은 그 나뭇가지를 세세하게 살피면서, 밤하늘과 별과 나뭇가지를 종이에 옮겼다.

"아……."

그러고 보니, 그녀는 이런 밤하늘을 본 적이 몇 번 있었다.

이 나무는 그녀의 방이 있는 2층 발코니까지 가지를 뻗고 있었다.

그리고 어릴 적부터, 발코니에서 손을 내밀면 그 나뭇가지를 잡고 저택을 손쉽게 빠져나갈 수 있었다.

……둘이서 함께, 저택을 손쉽게 빠져나갔던 것이다.

"……후후."

에리리는 옅은 미소를 지으면서 연필을 놀리는 속도를 바꾸더니, 조금씩 터치에 변화를 줬다.

방금 떠올린, 그리고 실은 떠올리고 싶지 않았던 기억 속의 경치를, 지금 눈앞에 펼쳐진 풍경에 녹여 넣었다.

별 그리고 밤하늘은 더욱 선명하게…….

나무와 가지는 더욱 크고 웅장하게…….

그리고 나무 아래에 있는, 발을 삔 소녀와, 그 소녀를 부축하는 소년…….

"…………."

아니, 그것만큼은 그림 속에 등장시키지 않았다.

그 대신, 서비스라는 듯이 실제로는 보이지 않는 별똥별을 그려 넣었다.

시야가 뿌옇게 변하면서 별이 흐릿하게 보이는데도…….

에리리는 머릿속에 존재하는 이미지를 총동원해서, 그림을 그렸다.

자신의 볼을 타고 흘러내리는 별똥별을…….

※ ※ ※

"……다들, 벌써 돌아갔어?"
"……그래."
다들 돌아가서, 그들의 모습과 목소리를 접할 수 없을 즈음…….
뒷정리를 마치고 돌아갈 준비를 끝낸 메구미가 드디어 현관 밖으로 얼굴을 내밀었다.
이렇게 타이밍이 어긋난 것이 평소처럼 그녀가 잡다한 일을 끝내느라 시간이 걸렸기 때문인지, 아니면 새치기 행위를 한 것인지는 당사자만이 알 것이다.
"그럼, 나도 슬슬……."
"역까지 바래다줄게."
"됐어."
"바래다줄래."
"난 몰라."
"……고마워."

이게 어쩔 수 없는 일인지, 아니면 바라마지 않던 일인지는 본인만이 알겠지만, 그래도 메구미는 토모야와 나란히 서서 함께 언덕을 내려갔다.

누가 이 상황을 의도한 것인지는 몰라도…….

적어도 그 누구도 의도치 않은 상황일 가능성은 없다고 단언할 수 있을 만큼, 매우 느릿한 발걸음으로 말이다.

"다 끝났네~."

"안 끝났어."

"뭐?"

"우리의 게임은 전혀, 완전히, 눈곱만큼도 완성되지 않았잖아."

"오늘 하루 정도는 그런 생각을 안 하고 싶은데……."

"보름 넘게 잊고 있었으면서……."

"으~."

토모야의 차분한…… 아니, 『토모야치고는』 흑심이 느껴지는 발언을 입에 담자, 메구미는 최근 들어 툭하면 튀어나오는 『여성스러운』 반응을 보였다.

"지금 바로 토모야 군에게 알려주고 싶어……. 이 며칠 동안 이즈미 양과 효도 양이 얼마나 최선을 다했는지를……."

"이오리도 마찬가지지?"

"나도 마찬가지야."

"그건 이미 알고 있어."

"흥……."

오늘까지 흘린 눈물과 짊어지게 된 고통 그리고 느껴야만 했던 수치심…….

그런 고통을 씻어낸 후의 행복…….

그 모든 것을 말과 태도와 표정을 통해 전부 드러내고 있었다.

"아직 용서 안 했어."

"용서 받았다고 생각 안 해."

"그럼 좀 더 미안한 듯한 반응을 보여야 하는 거 아닐까?"

……뭐, 옆에 서있는 오타쿠 소년이 그런 것을 느꼈을 거라는 기대는 눈곱만큼도 하지 않았다.

"미안해. 정말 잘못했어……. 앞으로는 뭐든 다 할게."

"뭐든 다 하는 건 당연한 거고…… 이제 겨울 코믹마켓까지 두 달도 남지 않았어."

"이야~, 진짜로 뭐든 다 하지 않으면 기한 안에 게임을 완성하지 못하겠네~."

"사과하는 척 하면서 말 돌리는 것도 용서 못해."

"……잘못했습니다."

뭐, 큰 기대를 하지 않았기에…….

메구미는 매우 커다란 기쁨을 느끼고 있다는 것 또한 그녀에게 있어서는 엄연한 사실이다.

그 겁이 많던 소년이 지금, 자신의 손을 잡았다.

농담을 하면서 열기를 띤 손으로 그녀의 손가락을 하나하나 휘감듯 움켜잡은 것이다.

“그리고 사과하면서 히죽거리는 것도 용서 못해.”

“아니, 이건…… 기쁘니까 어쩔 수 없잖아.”

“기뻐? 내가 이렇게 화를 내고 있는데?”

“그래. 화를 내고 있어……. 지난[7권] 번에는 두 달 넘게 화도 내지 않았잖아.”

“……확 돌아오지 않았으면 좋았을 텐데…….”

“그것도 내가 조금은 성장했기 때문이려나? 뭐, 이번에는 보고와 연락도 했잖아.”

“상의는 안 했어.”

“하지만 메구미도 말했잖아……. 「실은, 토모야 군이 올바를지도 모르는데」 하고 말이야~.”

“아무 생각 없이 남의 대사를 베끼지 말아줄래? 정말 토모야 군은 창작의욕도 섬세함도 없다니깐.”

“예, 죄송합니다. 전부 제가 잘못했습니다.”

그녀를 놀리는 척 하면서도 그 손을, 손가락을 꽈악 움켜잡았다.

무심코 「아프다」고 말할 뻔 했을 만큼, 웃음을 흘리며 놀리고 싶을 만큼, 그가 일방적으로 그녀를 유린하고 있었다.

……적어도 그녀의 뇌는 그렇게 인식하고 있었다.

"그럼 이번에야말로 제대로 사과할 테니까…… 들어줘."

"응. 이번에야말로 성심성의를 다해 진지하게 사과해봐."

"……양심에 따라 진실을 말하고, 아무 것도 숨기지 않으며, 거짓을 말하지 않을 것을 맹세합니다."

"……꽤 자기 자신을 궁지로 몰아넣었네."

"뭐, 이번만큼은 절대 거짓말을 할 수 없거든."

"뭐……."

그의 태도, 그리고 맞잡은 손에서 느껴지는 힘에 사로잡힌 메구미는 온몸이 딱딱하게 굳어버렸다.

혹시…… 아니, 아무리 그래도 지금은 좀, 그래도 어쩌면…… 같은 생각이 쉴 새 없이 반복됐다.

그래도, 아니, 그렇기 때문에 메구미는 자신의 온몸을 휘감고 있는 열기를 머릿속으로 집중시킨 후, 지혜와 용기를 쥐어짜냈다.

수십 개의, 아니, 그것보다도 훨씬 더 많은 패턴 안에서, 『승리하기 위한』 반응을 찾아내려 했다.

"나, 나, 말이야……."

"…………."

무슨 말을 듣더라도, 무덤덤해야 한다.
배신을 당하더라도, 울어선 안 된다.
보답을 받더라도, 울어선 안 된다.
뜬금없는 소리를 하더라도, 역시 울어선 안 된다.
하지만 어이없는 척은, 해도 된다.
쓴웃음을 짓는다면, 우위에 설 수 있다.
그리고 가볍게 놀려줄 수 있다면, 최고일 것이다.

상대방은 줄다리기가 뭔지도 모르는 상대다.
그래도 만전의 준비를 해서, 승리해야만 한다.
절대, 약점을 드러내선 안 된다.

"나…… 메구미를 좋아해! 3차원(현실)의 너를 좋아해!"
"그『현실』이라는 부분은 빼도 되지 않을까?"
"……어이."

왜냐면, 그녀는 이 며칠 동안…….
이 정도 복수를 해도 천벌 받지 않을 만큼, 그를 생각했었으니까…….

■작가 후기

안녕하십니까. 마루토입니다.

『시원찮은(히로인) 그녀를 위한 육성방법』, 걸즈 사이드(이하 GS)의 제3탄을 애니메이션 방영 기간 안에 겨우겨우 내놓았습니다.

주인공인 토모야 시점에서는 그릴 수 없었던, 각 히로인의 마음을 그려낸 이 시리즈도, 어느새 3권에 접어들었습니다.

이 시리즈를 시작한 것은 애니메이션 제1기의 방송시기였습니다. 애니 방송 중에 책 한 권을 내라는 각 방면에서의 압력…… 아니, 기대에 부응하기 위해 그럼 지금까지 썼던 단편에 책 절반 분량의 신작 소설을 억지로 끼워넣었…… 더해서 책을 내놓자는 게 계기였습니다.

하지만 발간을 하니 의외로 평판이 좋아서(원래 본편에 들어갔어야 하는 내용이라는 점은 제쳐두고) 이렇게 2권, 3권도 내놓게 되었습니다. 하지만 토모야의 안경을 통하지 않은 히로인들의 자기주장이 더욱 거세지면서 점점 성가신…… 아니, 매력적으로 변해갔습니다. 결국 저도 좀처럼 고삐를 잡을 수 없었고 완벽하게 제어할 수 없었기에 즐거움에 버금가는 괴로움을 느끼게 됐습니다(특히 이번 권의 우타하, 에리리, 메구미는 정말……).

게다가 GS 1 다음에 나온 8권부터는 이쪽에서 히로인들이 한 자기주장이 본편에 피드백되면서, 토모야(와 마루토)의 뜻대로 진행되지 않게 되었죠. 그 격렬한 힘겨루기가 오글거리는 전개라는 형태로 드러나게 된 듯한 느낌이…… 아, 딱히 마루토의 여성 취향이 여실하게 드러난 것은 아니지만 말이죠.

실제로 작품의 감상 같은 걸 보면, 토모야가 작가의 뜻대로 행동하지 않는다고 느끼는 독자 분의 의견을 접할 수 있습니다만, 사실 현재 제 뜻대로 행동하는 건 토모야뿐이에요…….

아무튼, 이 책이 나왔을 즈음에는 TV애니메이션 2기『시원찮은 그녀를 위한 육성방법♭(플랫)』이 한창 방영 중…… 아니, 슬슬 끝나려 할 겁니다.

뭐, 시리즈 구성과 각본을 맡은 제가 이런 말을 하는 것도 좀 그렇습니다만, 중반 이후부터는 1기와 다르게 진지한 노선인데, 진짜 이 언저리의 원작을 쓰던 시절의 저는 대체 어떤 정신 상태였던 걸까요?(정답 : 정상 가동 중).

하지만 원작을 읽어주신 분들이라면 충분히 감당할 수 있는 수준일 테니, 부디 제1부 최후반부의, 언덕을 굴러 내려가는 듯한 전개를 히죽거리면서 즐겨주셨으면 합니다.

애니메이션으로 이 부분을 처음 접하신 분은…… 으음, 잘 부탁드립니다. 제가 바로 원작자인 마루토입니다.

아무튼 애니메이션 쪽은 카메이 감독님을 비롯해 수많은 스태프가 심혈을 기울여 최고의 작품으로 만들어주셨습니다. 그러니 원작을 읽으신 분도, 애니메이션만 보시는 분도, 또한 2기부터 보기 시작한 분들도 끝까지 즐겨주셨으면 합니다.

아, 그리고 마음에 드셨다면 디스크판도 구입해주셨으면 합니다……. 원작 콤비도 심혈을 기울여 디스크판 특전 등을 준비했으니까요. 예. 분명 미래의 제가 최선을 다할 겁니다(어라? 마감이……).

그리고 예전에 고지한 대로, 다음 권인 『시원찮은 그녀를 위한 육성방법 13』에서 본편이 드디어 완결됩니다.

지금까지 함께해주신 독자 여러분 중에는 이 작품이 계속되어 주길 바라는 분도 계시겠지만, 그래도 지금은 이 이야기에 일단락을 지을까 합니다.

원래 라이트노벨이라는 카테고리에서 시작한 시점에서, 주인공이 고등학교를 졸업한 이후의 이야기를 쓸 생각이 없기도 했습니다만, 요즘 들어서는 캐릭터(특히 카토 메구미)가 자립을 하면서 시원찮지 않은 캐릭터가 되어버렸습니다. 그래서 이대로 가다간 제목 사기(아, 처음부터 그랬지만 말이죠)가 되어버릴지도…… 아니, 여기서부터는 장르와 작풍이 달라질지도 모른다는 점도 이 시점에서 완결을 내기로 결단한 이유입니다.

뭐, 그런 질척질척한 전개를 보고 싶은 분들은 ……아, 시원그녀는 그런 작품이 아니거든요? 오해하지 말아주세요.

애초에 『3권까지는 쓸 수 있겠지』 같은 생각으로 시작한 이 작품이 어느새 10권 이상이 되어버린 것은…… 독자 여러분을 비롯해 이 작품에 관여해주신 모든 분들의 공적일 겁니다. 정말 감사합니다.

아, 이런 소리는 13권의 집필을 끝낸 후에 하라고요? 걱정하지 마세요. 이미 내용은 다 짜뒀어요. 예. 제1장까지는 말이죠…….

그럼 이쯤에서 감사인사를 드릴까 합니다.

미사키 씨, 지금까지 정말 신세 많이…… 뭐, 남아있는 시원그녀 관련 작업량을 생각하면 『아, 끝났구나』 같은 생각은 전혀 들지 않겠고, 실제로 끝나려면 한참 남았지만, 그래도 지금까지와 마찬가지로 건강을 챙기며 장수하도록 하죠(어이).

그럼 앞으로 한 권…….

마루토가 만든 족쇄에서 벗어나려고 발버둥치는 캐릭터들

을 어찌어찌 달래면서 필사적으로 글을 쓸 생각이니, 마지막 권도 잘 부탁드립니다.

2017년 초여름 마루토 후미아키

【최초 수록】

「이 프롤로그는 12권 2장을 읽은 후에 읽어 주십시오」, 「제12.2.5화 제3차 본처 전쟁」은 드래곤매거진 2017년 7월호에 게재된 내용에 가필 및 수정을 한 것입니다.

■역자 후기

안녕하십니까. 근로청년 번역가 이승원입니다.
『시원찮은 그녀를 위한 육성방법』 GS 3권을 구매해주셔서 진심으로 감사드립니다.

후덥지근했던 여름도 지나가고, 완연한 가을이 시작됐습니다.
가을하면 독서의 계절!
독자 여러분께서 시원그녀와 함께 이 계절을 만끽하고 있을 거라 믿어 의심치 않으며 이 후기를 씁니다(어이)!

길었던 추석 연휴도 끝나고, 이제 다시 일상으로 돌아가야 할 시기군요.
……저 같은 프리랜서는 추석이라도 일을 해야 하지만요, AHAHA.
추석 제사 준비를 해야 하는데다, 친척 어르신들을 찾아뵙기도 해야 하고, 성묘도 다녀와야 하죠.
게다가 이번에는 상수도관이 고장 나서 누수 문제로 난리가 나는 바람에 정신이 없었습니다. 제사 준비를 해야 하는데 집에 수도가 끊기는 바람에, 음식 준비와 설거지를 할 수가 없었죠. 결국 동네를 다 뒤져서 영업을 하는 철물점을 찾은 후, 20여 미터나 되는 파이프를 만들어서 외부로 물탱크와 연결하는 대공사(?)를 해야만 했습니다. 하마터면 3층 높이에서 떨어질 뻔하기까지…… 요즘 별의별 일이 다 터지네요.^^

그래도 무사히 공사는 마쳤습니다. 이제 늦어진 작업 스케줄을 어찌하기만 하면…… 하면……(털썩).

그럼 이번 권의 내용에 대한 이야기를 짤막하게 할까 합니다.

스포일러가 포함되어 있을 수 있으니, 양해 부탁드립니다!

이번 권을 작업하면서 가장 눈길이 갔던 캐릭터는 뭐니 뭐니 해도 메구미였습니다.

처음에는 그저 『시원찮은 히로인』에 불과했던 그녀는 별다른 이유 없이 아키 토모야라는 오타쿠의 곁을 지키고 있는 것처럼 보였습니다.

하지만 그 이면에 존재한 감정을 하나씩 짚어가고, 그 당시에 그녀의 심정이 어떠했는지가 이번 권에서 간접적으로 다뤄지면서, 메구미의 매력이 그야말로 대폭발을 했다고 생각합니다.

그리고 더는 『시원찮은』 히로인이 아니게 된, 그리고 아키토모야의 숭배대상이 아니라, 그저 그의 곁에서 함께 소소한 행복을 추구하고 싶어 하는 그녀가 내린 결론에는 『카토 메구미』라는 캐릭터의 본질이 담겨 있다고 생각합니다.

그리고 그 과정을 직간접적으로 접한 다른 캐릭터들의 모습 또한, 작품의 대단원을 향해 달려가는 이 시점에서 꼭 다뤄져야만 했던 요소라 여겨집니다.

그리고 이 모든 것을 아우르며 펼쳐질 최종권, 13권이 저도 정말 기다려지는 군요. 마지막 권까지 이 작품의 역자로서, 그리고 독자 여러분과 마찬가지로 한 사람의 팬으로서, 최선을 다할 생각입니다!

그럼 이만 줄이겠습니다.

L노벨 편집부 여러분, 항상 감사합니다. 이번에도 폐를 끼쳤습니다. 앞으로도 잘 부탁드립니다!

취직도 하지 않았으면서 취직 선물을 나한테서 강탈해간 악우여. 지, 지휘관(?)도 좋지만, 원래 그건 취직 선물이었거든?! 그 점을 망각하지 말라고오오오오~!

마지막으로 언제나 제게 버팀목이 되어주시는 어머니와 『시원찮은 그녀를 위한 육성방법』을 읽어주신 모든 분들에게 진심으로 감사드립니다.

이 기나긴 이야기에 마침표가 찍힐(찌,찍히겠죠?!) 13권 역자 후기 코너에서 다시 뵙겠습니다!

2017년 10월 중순

역자 이승원 올림

시원찮은 그녀를 위한 육성방법 GS 3

1판 1쇄 발행 2017년 11월 10일
1판 2쇄 발행 2018년 3월 21일

지은이_ Fumiaki Maruto
일러스트_ Kurehito Misaki
옮긴이_ 이승원

발행인_ 신현호
편집국장_ 김은주
편집진행_ 최은진 · 김기준 · 김승신 · 원현선 · 김솔함 · 권세라
편집디자인_ 양우연
국제업무_ 정아라 · 고금비
관리 · 영업_ 김민원 · 이주형 · 조인희

펴낸곳_ (주)디앤씨미디어
등록_ 2002년 4월 25일 제20-260호
주소_ 서울시 구로구 디지털로 26길 111 JnK디지털타워 503호
전화_ 02-333-2513(대표)
팩시밀리_ 02-333-2514
이메일_ lnovelpiya@naver.com
L노벨 공식 카페_ http://cafe.naver.com/lnovel11

ISBN 979-11-278-4295-6 04830
ISBN 979-11-278-4216-1 (세트)

값 6,800원

세븐캐스트의 히키코모리 마술왕 1권

미사키 카츠미 지음 | mmu 일러스트 | 송재희 옮김

마술이 개념화하여 물리 법칙을 능가한 신생 마법세계.
이곳 마도에는 마술 결사 「세븐캐스트」가 최강이라는 이름하에 군림하고 있었다―.
"그저 빈둥거리면서 살고 싶어……."
마술학원에 다니는 브란은 마술로 만든 분신에게
출석을 대행시키는 등교거부 학생.
다만 전학생인 왕녀 듀셀하고는 같은 히키코모리 기질 때문인지
묘하게 가까워지고?!
그러나 듀셀의 정체는 전투에 특화된 루브르 왕국의 국가마술사였다―.
"그럴 수가, 나보다 고위 마술사라니."
"상대가 안 좋았네― 내가 「세븐캐스트」의 위자드 로드야."
일곱 섀도를 원격 조작으로 사역하여 세계 질서를 뒤엎어라?!

히키코모리야말로 최강―
문외불출 신세기 마술배틀 판타지!!

라이트노벨의 새로운 빛! L노벨의 신간은 매월 10일에 발매됩니다. http://cafe.naver.com/lnovel11

15세 미만 구독 불가
변변찮은 마술강사와 금기교전
Akashic records of bastard magic instructor
8
히츠지 타로 지음
미시마 쿠로네 일러스트
최승원 옮김
NOVEL

L NOVEL

© 2016 Aiatsushi
Illustration:Yoshiaki Katsurai
KADOKAWA CORPORATION

백수, 마왕의 모습으로 이세계에 1~2권

아이아츠시 지음 | 카츠라이 요시아키 일러스트 | 김장준 옮김

한창 즐겼던 게임이 서비스 종료를 맞이한 날.
홀로 대보스를 토벌하고 사기급 능력을 입수한 요시키는
낯선 장소에서 눈을 떴다.
마왕으로 착각할 만할 중2병 장비를 걸친
자신의 캐릭터, 카이본의 모습으로!
심지어 갈피를 잡지 못하는 그의 앞에
요시키의 세컨드 캐릭터, 엘프 류에가 나타나고……?!
그녀와 둘이서 생활하는 동안 그는 알게 된다.
자신이 이 세계에서 신화 수준의 영웅으로 전해져 내려온다는 것을—!

마왕의 모습으로 세계를 누비는
유유자적 여행기, 개막!!